WALTER HINCK

DIE DEUTSCHE BALLADE
VON BÜRGER BIS BRECHT

Kritik und Versuch einer Neuorientierung

VANDENHOECK & RUPRECHT IN GÖTTINGEN

Walter Hinck

Dr. phil., geb. am 8.3.1922, ist o. Professor für Neuere
deutsche Sprache und Literatur an der Universität Köln.
Buchveröffentlichungen: Die Dramaturgie des späten
Brecht (1959, 4. Aufl. 1966). — Das deutsche Lustspiel
des 17. und 18. Jahrhunderts und die italienische Komö-
die (1965).

PT581
.B3H5

Kleine Vandenhoeck-Reihe 273 S

Gesamtherstellung: Hubert & Co., Göttingen
8858

VORBEMERKUNG

Diese Studie war zunächst nur als eine kritische Auseinandersetzung mit der Geschichte der deutschen Ballade und ihrer Deutung entworfen. Aber einige Dichtungen Goethes und Schillers,
Heines und Brechts gaben Anstoß, das Problem der Gattung neu
zu überdenken. Geblieben ist ein überwiegendes Interesse für
jene Zeugnisse, in denen das Bewußtsein des Problematischen
der Balladenkonvention in die dichterische Gestalt selbst eingegangen ist. Der Kanon, der die Auswahlsammlungen und Bal-
ladeninterpretationen seit langem und teilweise wieder neu bestimmt, ist der Überprüfung bedürftig.

1. Überblick. *Nordische* und *legendenhafte* Ballade

In einem Brief an Heinrich Meyer vom 21.7.1797 spricht Goethe von der Ballade als einer „nordischen" Dichtart[1]; der Hinweis steht in losem Zusammenhang mit der Diskussion, die den schöpferischen Wettstreit Goethes und Schillers im sogenannten Balladenjahr 1797 begleitet. Daß dem Gattungsbegriff Goethes die Vorstellung von einer „mehr nordischen Gebärdensprache der Ballade" zugrunde liege, vermerkt Max Kommerell[2]. Tatsächlich möchte man keiner dichterischen Gattung bzw. Dichtart in der deutschen Literatur der letzten Jahrhunderte so vorbehaltlos das Attribut „nordisch" zuweisen wie der Ballade. Wiedererweckung der Volksballade und Anfang der Kunstballade sind unmittelbar verknüpft mit der Entdeckung der nordischen Welt und Dichtung im Umkreis der Straßburger Gruppe und des Göttinger Hains. Herders Ossian-Aufsatz und Bürgers „Lenore" zeichnen den Weg der Gattung vor, die Goethe — nicht zuletzt im Kontrast zur Kunst des Südens — als nordisch empfindet. Die neblig-dunkle und nächtliche Welt oder eine „ossianische" Landschaft mochten ihm nach Höltys und Bürgers und nach eigenen Balladen wie dem „König in Thule", dem „Untreuen Knaben", dem „Erlkönig", dem „Schatzgräber" und selbst der „Braut von Korinth" wohl als atmosphärische Kennzeichen der Gattung erscheinen. Keineswegs aber konnte jemand, der seine Wiedergeburt unter dem „heitern, köstlichen Himmel" Italiens erlebt hatte, sich dieser Gattung distanzlos verschreiben. Das bestätigt u. a. ein Brief vom 20.7.1797 an C.G.Körner, in dem Goethe über das „Balladenwesen und Unwesen" scherzt[3]. Und gewiß trägt die Bezeichnung „nordisch" bei ihm alles andere denn einen antiromanischen Akzent. Solche Betonung mag bereits mitschwingen, wenn im 19. Jahrhundert — wie in einer Anthologie aus dem Jahre 1845 — die Ballade als die „beliebteste und nationalste Dichtungsart der Deutschen" gefeiert wird[4]. Aber die

antiromanische Tendenz ausdrücklich in die Diskussion hinein-
zutragen, bleibt doch Börries von Münchhausen vorbehalten, der
seine „Erneuerung" der Ballade als Erneuerung der „nordischen"
Ballade versteht und diese in den Eigenarten niederdeutscher
Stämme, im Nebel und in der Diesigkeit niederdeutscher Land-
schaften verankert sieht. „Und doch ist grade hier das tiefste
und klarste Wissen lebendig, und in einer nordischen Ballade
liegt mehr Weistum als in hundert italienischen Sonetten und
französischen Romanzen."[5] Schon hier wird der Schritt zur
— späteren — „völkischen" Ideologie vorbereitet.

Nun ist den Deutschen gewiß mittlerweile diese ihre „beliebteste
und nationalste Dichtungsart" fragwürdig geworden. W. Müller-
Seidel hat manche der Gründe erörtert. So parallelisiert er die
deutsche Kunstballade mit der lyrischen Tradition, die vom jungen Goethe ihren Ausgang nahm. Und „sowohl die Lyrik in der
Gestalt, die sie durch den jungen Goethe, wie die Ballade in der
Gestalt, die sie durch Bürger erhielt, sind geschichtlich gewordene Gebilde . . ."[6] Daran ist manches Bestechende, zumal
die Balladentradition und die herrschende lyrische Tradition in
ihrer Kontinuität gleichzeitig unterbrochen werden: nämlich
durch den Expressionismus (Gegenbeispiele bleiben Ausnahmen).
Und dennoch ist das Interesse an der Ballade seit Bürger in
anderem Maße verbraucht als das an der reinen Lyrik seit Goethe.
Alles historisch geschulte Verstehen beseitigt nicht das Unbehagen am Lauten der Heldenritte, am Forcierten der dyna-
mischen Rhythmik und der Lautmalereien in den Geister-, Ritter-
und Heldenballaden, das Unbehagen am Pferd- und Schwert-
fetischismus der Ballade zumal des 19. Jahrhunderts. Allzuoft
haben ein fragwürdiger Popularitätsbegriff und ein romantischer
Historismus die Ballade an einen archaischen Bewußtseinsstand
gekettet. Schillers Kritik der Gedichte Bürgers ist allzuwenig
beherzigt worden, zu wenig seine Forderung, daß die Dichtung
„selbst mit dem Zeitalter fortschritte" und die „Sitten, den
Charakter, die ganze Weisheit ihrer Zeit" spiegele[7]. Sicherlich
ist es zu einem Teil die Balladomanie des 19. Jahrhunderts,
welche die Gattung in Mißkredit gebracht hat — eine hemmungs-
lose Produktivität, über die schon Heine in der „Romantischen
Schule" und im „Schwabenspiegel" spottete. Und spätestens die

6

parodistische Figur des „Balladerichs" Uwe Schievelbein in der „Blechschmiede" von Arno Holz und Wedekinds bänkelsängerische Moritat „Der Tantenmörder" geben die Zeichen für das Ende des Imperiums der konventionellen Ballade. Der übersteigerte Enthusiasmus Münchhausens und die „Balladensintflut" der Vorkriegsjahre[8] wirken wie ein letztes Aufbäumen vor der Agonie.

Dennoch ist die Ballade nicht tot. Und keiner hat sie im 20. Jahrhundert so lebendig erhalten wie Brecht. Die Verlegenheit gegenüber dem Problem, Brechts Ballade in die Geschichte der Gattung einzuordnen, ist allgemein. Dabei kann seine relative Sorglosigkeit und Eigenwilligkeit in der Verwendung des Gattungsnamens (Ballade, Lied, Chronik, Legende) nicht allzusehr ins Gewicht fallen. Auch Goethe benutzt die Bezeichnung Legende oder stellt andererseits Gedichte zu den Balladen, die der Gattung kaum zugehören. Die Bezeichnungen Ballade und Romanze werden bis zu Fontane hin synonym verwandt; noch B. v. Münchhausen lehnt eine Unterscheidung ab[9]. Brechts „Lied von der Eisenbahntruppe von Fort Donald" ist ebensogut Ballade wie die „Ballade von des Cortez Leuten", und seine sog. Legenden sind es in weitaus gültigerem Sinne als etwa die Romanzen Eichendorffs. Aber man wird angesichts der Fülle geschichtlich gewordener balladischer Formen überhaupt die Grenzen der Gattung nicht zu eng ziehen und sich die Einsicht Goethes in den bekannten Bemerkungen über die Ballade („Über Kunst und Altertum", 3. Band, 2. Heft, 1821) bewußt halten, wonach alle drei „Grundarten" der Poesie, das Lyrische, Epische und Dramatische, an der Ballade beteiligt sind und wechselnd eines der drei Grundelemente dominieren kann. Man sollte die Gattung weniger nach dem bestimmen, was sie zu sein hat, als nach dem, was ihr möglich ist: die Ballade erlaubt die Darstellung eines gerafften oder (dramatisch) zugespitzten epischen Geschehens in lyrisch (vershaft) gebundener Form. Trotz des weiten Rahmens freilich muß die „Erzählfunktion" (Käte Hamburger) erkennbar bleiben, welche die Ballade als ein „Erzählgedicht" charakterisiert. Der am Geschehensbericht verifizierbare Erzähler verhütet die Verwechslung der Ballade mit einer für die Aufführung entworfenen Dichtung wie auch die des Sprechers mit dem lyrischen Ich; an der Verwechslung der Ballade mit den spezifisch epischen Dichtungsformen hindert die relative Kürze des Versgebildes. Selbst bei durchweg dialogisierten Balladen (wie Eichendorffs „Waldgespräch") oder bei Balladen nach Art des Rollengedichts (wie Goethes „Schatzgräber") läßt sich der verborgene Erzähler aus geheimen Signalen erschließen.

Der hier skizzierte Spielraum ist der deutschen Ballade seit jeher zugebilligt worden. Innerhalb seiner Grenzen bewegt sich aber auch der Großteil Brechtscher Balladen. Sollte also die Verlegenheit des Literarhistorikers gegenüber der Ballade Brechts darauf beruhen, daß sich der gängige Gattungsbegriff noch allzusehr an einer bestimmten Traditionslinie der Ballade orientiert? Ich spreche dabei von der deutschen Kunstballade. Denn nicht auf Brechts Anknüpfung an den volkstümlichen Bänkelsang und an François Villon braucht in diesem Zusammenhang verwiesen zu werden — Balladen wie die „Legende vom toten Soldaten", der „Kinderkreuzzug" oder die „Legende von der Entstehung des Buches Taoteking..." wollen nicht von Bänkelsang und Moritat her, sondern als „Kunstballaden" beurteilt werden. Um also die Frage zu präzisieren: sollte die geläufige Anschauung von der deutschen Kunstballade noch zu sehr auf einen bestimmten Typus festgelegt sein, und sollten uns die meisten Balladenanthologien ein wirklich repräsentatives Bild noch vorenthalten?

Daß die Geburt der deutschen Kunstballade im Zeichen der nordischen (nicht nur der englisch-schottischen) Ballade stand, hat die Entwicklung wie auch die Beurteilung der deutschen Ballade folgenschwer bestimmt. Und wenn Münchhausen wie selbstverständlich deutsche und „nordische" Ballade gleichsetzte, so geschah es nicht ohne allen Grund. Die meisten der Balladen-„Unterarten", die Wolfgang Kayser unterschieden hat[10], die Geister-, die Schauerballade, die naturmagische, die Schicksalsballade, die historische, die Ritter- und die Heldenballade, rechtfertigen die Bestimmung der deutschen Ballade als einer „nordischen" Dichtart. Aber der Begriff „nordisch" versagt gegenüber einer Ballade wie Goethes „Der Gott und die Bajadere" aus dem Jahre 1797 (in demselben Maße wie gegenüber Brechts „Legende von der Entstehung des Buches Taoteking..."). Daß Goethe selbst die Gattungsbezeichnung zu differenzieren wünschte, beweist sein Zusatz „Indische Legende". In heimische, christliche Vorstellungen stimmt sich die „Legende" ein, bekannt als „Legende vom Hufeisen"; sie entsteht nahezu gleichzeitig. In demselben Jahr schreibt Schiller zwei und im folgenden Jahr sowie im April 1803 weitere Balladen nach legendenhaften Stoffen: „Ritter Toggenburg", „Der Gang nach dem Eisenhammer", „Der Kampf mit dem Drachen" und „Der Graf von Habsburg". Am Kulminationspunkt der deutschen Balladengeschichte, im „Balladenjahr" 1797, wie überhaupt im Balladenwerk Goethes und Schillers sind die Gedichte zu einem nicht unwesentlichen Teil Legendenballaden. Ein anderer Balladentypus als der „nordische" gewinnt für uns Umrisse. Den bis dahin wenig beachteten „Grafen von Habsburg" hat neuerdings B. v. Wiese „Schillers vielleicht großartigste Ballade" genannt [11]. Eine neue Wertung bahnt sich an.

Daß die Legendenballade eine legitime Sonderform der Gattung ist, sollte keiner besser bestätigen können als der Panegyriker der „nordischen" Ballade selbst. Und es gibt zur Korrektur allzu schematischer Vorstellungen Anlaß, wenn Börries von Münchhausen, in seiner Spätzeit, für die Interpretationssammlung „Gedicht und Gedanke" von 1942 nicht eine seiner historischen, Ritter- oder Heldenballaden auswählt, sondern die „Legende vom Angesicht". Eine „kleine Ballade" nennt er das Gedicht, und wie zur Beschwichtigung fremder oder eigener Bedenken erklärt er (wenn auch leicht einschränkend), daß seine Legende „ja als solche immerhin eine Art Ballade" sei [12].

Das Auftauchen der Legendenballade selbst bei Münchhausen ermuntert zu weiterer Durchforschung der deutschen Balladenliteratur. Mir scheint die *legendenhafte* Ballade geradezu eine Alternativform zur *nordischen* Ballade zu sein. Die Beschäftigung mit ihr kann durch einige Neuentdeckungen belohnt werden und vermag mit einem gewissen Überdruß an der Ballade zu versöhnen, der im wesentlichen ein Überdruß an der *nordischen* Ballade ist.

Wir scheiden also vom Idealtypus („Idealtypus" im Sinne Max Webers) der *nordischen* den Idealtypus der *legendenhaften* Ballade. Solche Trennung versucht nicht die historische Vielfalt balladischer und balladesker Formen restlos zu erfassen und in ein System zu zwingen. Wir verstehen die *nordische* und *legendenhafte* Ballade als zwei Modelle, die einen weiten Spielraum lassen und immer nur annähernd verwirklicht werden. Unbetroffen bleibt die Aufgliederung der Gattung nach Arten oder „Unterarten", wie sie W. Kayser und andere[13] unternommen haben. Wir sondern nach zwei verschiedenen Möglichkeiten der Akzentsetzung, die sich in der Geschichte der deutschen Kunstballade abzeichnen: nach zwei gegensätzlichen menschlichen Grundhaltungen und zwei verschiedenen Arten des Verhältnisses zur Welt, welche die Ballade zu vergegenwärtigen vermag. Über die Annäherung an das eine oder andere Modell entscheidet nicht oder nicht allein der Stoff; die *legendenhafte* Ballade ist also nicht an die Behandlung vorgeprägter Legendenstoffe gebunden. Überhaupt wäre es hier unfruchtbar, sich den strengen Begriff der Legendenforschung[14] zu eigen zu machen und als Legende nur eine literarisch fixierte Heiligen-Vita oder zumindest religiöse Erzählung gelten zu lassen. In der Dichtung hat sich längst auch ein freierer Wortgebrauch eingebürgert; die Verweltlichung oder Umpflanzung des Begriffs (man denke nur an Gottfried Kellers „Sieben Legenden") ist ein längst anhängiger Prozeß. Im übrigen hält „legendenhaft" an dem strengen Wortsinn von „Legende" ohnehin nicht fest. Der Zusammenhang mit den früheren Bedeutungen bleibt indes gewahrt, weil — wie sich zeigen wird — die in der *legendenhaften* Ballade vergegenwärtigte menschliche Grundhaltung noch der in „Legenden" geschilderten Haltung vergleichbar ist.

Bestimmen wir zunächst Kriterien der *nordischen* Ballade. Daß der Entstehung der ernsten Kunstballade die Entdeckung der nordischen Dichtung und Welt mit ihrer Herbheit und ihren Relikten germanischen Heidentums parallel läuft, weist in Zusammenhänge, auf die schon M. Kommerell aufmerksam gemacht hat. Die Ballade, so bemerkt Kommerell bei seiner Deutung der Balladen Goethes, habe zwar — in ihrer Gesamtheit, als Gattung — kaum an Mythen teil („Die Mythen sind die ein Volk formende, urbildliche Welt, die, geglaubt und erfahren, keine Wirklichkeit außer sich zuläßt"); es gehöre aber im Hinblick auf ihre religiösen Bedingungen doch „ein Element unterdrückten Heidentums mit zu ihrem Wesen" [15]. Das Element eines unterdrückten, und zwar vorwiegend germanischen, Heidentums dürfen wir als ein Kriterium der *nordischen* Ballade betrachten. Die Geister und Gespenster (auch in ihrer Kopplung mit der Wiedergänger-Gestalt) oder die dämonischen Natur- und Elementarwesen, an denen in der deutschen Ballade wahrlich kein Mangel herrscht, gehen auf heidnische Vorstellungen zurück. Die Bilderwelt der *nordischen* Ballade gründet in einem vorchristlichen Weltbild.

Darüber können christliche Überformungen nicht hinwegtäuschen; schon Bürgers „Lenore" und „Der wilde Jäger" belegen es. Wie immer man auch das religiöse Problem in der „Lenore" versteht, ob man H. Schöfflers These vom „Zerfall eines Gottesglaubens" oder ihrer Widerlegung durch A. Schöne zuneigt — die heidnischen Elemente der Sage, an die Bürger anknüpft, sind nicht gebändigt. Sie bringen sich zur Geltung vor allem im Motiv des furiosen Geisterritts. Gewiß darf man in dieser Darstellung der nächtlichen Luftjagd Wilhelms, Lenores und des vom Hochgericht her sich anschließenden luftigen Gesindels eine apokalyptische Vision sehen [16] — enger sind hier aber die Beziehungen zum germanischen Mythos vom Wütenden Heer oder der Wilden Jagd, die sich dann im „Wilden Jäger" verdichten und in den Schlußversen der Ballade ausdrücklich bezeugt werden. (In anderer Version, mit den Hulden, taucht der Mythos von der Wilden Jagd in Goethes Ballade „Der getreue Eckart" wieder auf.) Andererseits wird auch die Überdeckung heidnischer Sagen- durch christlich-didaktische Motive gerade in Bürgers „Wildem Jäger" offenbar.

Aber es bleiben in der *nordischen* Ballade, in einer vorwiegend dunklen oder nächtlichen, von dämonischen Mächten belauerten Welt, Relikte germanischen Heidentums gegenwärtig, die durch alle Überformungen hindurchschlagen. Und es überwiegen auffahrend-unbesonnene, herrisch-unversöhnliche Haltungen zum Schicksal, zur Welt, zum menschlichen Gegenüber (vgl. etwa die „Lenore", den „Wilden Jäger") oder aggressiv-kämpferische Haltungen, die auf die heroisch-tragische Sphäre der alten Heldendichtung zurückweisen.

11

Hier wird die Genealogie der Balladenform wichtig, der Zusammenhang der deutschen Ballade mit dem germanischen Heldenlied. Daß sich aus dem Heldenlied zwischen dem 9. und 12. Jahrhundert unmittelbar die „Heldenballade" entwickelt habe, ist neuerdings von Hans Fromm [17] bestritten worden. Die Einwände gelten vor allem dem Wortgebrauch. Fromm lehnt die Versuche, den Balladenbegriff auszudehnen und Heldenballaden vom 9. und den folgenden Jahrhunderten an anzusetzen, als Verunklärung des Balladenbegriffs ab. Die Bezeichnung Ballade verdiene erst die Liedform mit den Zügen der Volksballade. Germanisches Heldenlied und Volksballade aber berührten sich nicht unmittelbar. Für die Zwischenform schlägt Fromm den Namen Vorzeitlied oder — besser noch — Heldenzeitlied vor. Wie immer man auch die genealogischen Stufen im einzelnen gliedert, der Zusammenhang wird nicht bestritten. Entscheidend ist nun, daß die deutsche Kunstballade die mit dem 13. Jahrhundert einsetzende Verbürgerlichung der Balladenvorform, deren Ergebnis die Volksballade war, weitgehend wieder rückgängig macht. Sehen wir von volksliedhaften Balladen Goethes und der Romantik ab, so rauht — unter dem Einfluß der nordländischen Balladen — die deutsche Kunstballade die im Volkslied verbürgerlichte, gefühls- und gemüthaft verinnerlichte Ballade wieder auf, bzw. sie „aristokratisiert" sie wieder, zumal in der historischen, der Ritter- und der Heldenballade. Als Goethe und Schiller im Juni 1797 Goethes Plan zu einem epischen Gedicht „Die Jagd" erörtern (es handelt sich um ein Sujet, von dem Goethe fürchtet, daß es sich zu einer Ballade auflösen könne — erst Jahrzehnte später verarbeitet er es, und zwar in seiner „Novelle"), da schreibt Schiller am 26. Juni: es „ist von den fürstlichen Personen und Jägern nur ein leichter Schritt zu den Ritterfiguren, und überhaupt knüpft sich der vornehme Stand, mit dem Sie es in diesem Gedicht zu tun haben, an etwas Nordisches und Feudalisches an" [18]. Wir benutzen die Schillersche Äußerung als ein Stichwort. Der *nordischen* Ballade wohnt eine Tendenz inne, die Gattung in die ritterlich-adlige Sphäre zurückzudrängen. So bietet sie sich Dichtern wie dem Grafen Friedrich Leopold von Stolberg, dem Grafen von Strachwitz, dem Freiherrn von Münchhausen und anderen für den Ausdruck ihres aristokratischen

Standesbewußtseins und Lebensgefühls geradezu an. Aber es hieße falsche Fronten ziehen, wollte man die *nordische* Ballade zur bloßen Angelegenheit adliger oder dem Adel nahestehender Autoren erklären. Die antifeudalen, sozialkritischen Akzente bei Bürger (etwa im „Wilden Jäger" oder in „Des Pfarrers Tochter von Taubenhain"), in Balladen, die wir gleichwohl *nordisch* nennen, widersprechen dem. Bürgers Balladen erweisen sich durch andere Merkmale als *nordisch,* so daß an dieser Stelle besonders deutlich wird, wie variabel die Möglichkeiten der Annäherung an den Idealtypus bleiben. Immerhin bringt die Wendung zum ritterlichen Mittelalter in der Romantik — schon bei Friedrich Leopold von Stolberg finden wir allerdings die historische und Ritterballade — ein wenig reflektiertes Heldenideal herauf. Und das nicht nur bei dem unermüdlichen und beredten adligen Heldensänger de la Motte-Fouqué, sondern auch bei einem liberalen Bürgerlichen wie Ludwig Uhland, der mit seiner Ballade „Graf Eberhard der Rauschebart" das alte Heldentum neu zu erwecken wünscht:

Brich denn aus deinem Sarge, steig aus dem düstern Chor
Mit deinem Heldensohne, du Rauschebart, hervor!
Du schlugst dich unverwüstlich noch greise Jahr' entlang,
Brich auch durch unsre Zeiten mit hellem Schwertesklang![19]

Hier entspricht die Verwendung der Nibelungen-Strophe durchaus der dichterischen Intention. Uhland hat, etwa in der „Schwäbischen Kunde" (1814), das starre Heldenbild durch Anekdotisches auch vermenschlicht — wie später in noch stärkerem Maße Fontane —, aber was in diesen Versen präludiert wird, das schwillt in der Ballade des weiteren 19. Jahrhunderts zu mächtigem Getöse an. Bürger hatte sich in seinem „Herzensausguß über Volks-Poesie" (Aus Daniel Wunderlichs Buch, 1776) von der Romanze und Ballade die „Lieblingsepopöe aller Stände", eine moderne Ilias oder Odyssee erhofft. Solche Erwartung entsprach seiner Überschätzung der Ballade. Eine Erwartung geringeren Anspruchs aber mochten die Autoren der Ritterballade des 19. Jahrhunderts wahrmachen wollen: moderne germanische Heldenlieder zu schreiben. B. v. Münchhausen nennt die Ballade denn auch schlechtweg „das Heldenlied"[20].

Weitere Aspekte des *nordischen* Typus erschließt uns die natur-
magische Ballade, zu deren ersten Beispielen in Deutschland
nicht zufällig die Übertragung einer dänischen Ballade zählt.
„Erlkönigs Tochter" (1778), von Herder, gibt wiederum den
Anstoß für Goethes „Erlkönig" (1782), wobei sich Herders
Übersetzungsfehler (dänisch ellerkonge heißt Elfenkönig) durch
Goethes Lokalisierung des Elementargeistes sogar als ein frucht-
bares Mißverständnis erweist. E. Trunz hat in der Hamburger
Ausgabe einige Verse aus dem Oktober 1780 unter dem Titel
„Gesang der Elfen" vor den „Erlkönig" gerückt und so den Zusammenhang mit dem Elfenmotiv verdeutlicht. Das Element
unterdrückten Heidentums wird auch hier wieder faßbar. Ursprünglich als göttliche Wesen niederen Ranges gedacht, leben
die Elfen in der Volkssage als Verkörperung vielgeteilter Naturkräfte fort. Die schon im Altnordischen bekannte Unterscheidung von Lichtelfen und Schwarzelfen konkretisiert sich in der
späteren deutschen Sage im Gegensatz Oberons, des Fürsten der
Lichtelfen, zu Alberich, dem Fürsten der Schwarzelfen. Die
Elementarwesen in der von Herder übertragenen dänischen
Volksballade und in Goethes „Erlkönig" gehören in den Bereich
jener zürnenden Elfen, die den Menschen mit verhängnisvollem
Schlage treffen. Dagegen entstammt der Elementargeist in
Annette von Droste-Hülshoffs „Der Schloßelf" — ein Über-
bleibsel und Produkt des „Heidennebels", wie die Dichterin
humoristisch andeutet — der Familie freundlicher Elfen. Für die
verzweigte Thematik der Verbindung menschlicher und elemen-
tarer Seinsbereiche mögen zwei Balladen von Agnes Miegel
als Beispiele stehen: „Das Märchen von der schönen Mete" (die
Kraft der Liebe verleibt das Elfenwesen ganz dem Menschlichen
ein) und die „Schöne Agnete", eine an die Volksballade „Es
freit' ein wilder Wassermann" anknüpfende Ballade (die Möglichkeit der Rückkehr in die menschliche Gemeinschaft ist tragisch
verwirkt).

Agnes Miegels Ballade von der Frau, die den Wassermann freit,
weist aber bereits zu einer anderen Gruppe naturmagischer Balladen hinüber, die mehr oder weniger alle in der Nachfolge von
Goethes „Fischer" (1778) stehen. Es ist dies die Gruppe, die man
etwas ironisch „Nixenlyrik" genannt hat: die gefährliche Faszi-

nationskraft des Wassers wirkt durch die verführerische Schöne. Hier schließen sich jene Ketten von Balladen an, die den Gestalttypus der dämonischen Zauberin aus Brentanos „Lore Lay" mit unerschöpflicher Variationsfreude übernehmen: nicht zuletzt die vielen Lorelei-Gedichte selbst. Eine der schönsten Balladen in dieser Reihe ist gewiß Mörikes „Die schlimme Greth und der Königssohn".

Die der *nordischen* Ballade entsprechende Szenerie, die unheimliche Natur, wird in der naturmagischen Ballade zur tödlich bedrohenden Natur. Im Spannungsverhältnis der Natur zum Menschen herrscht das Gesetz der Unversöhnlichkeit. Die naturmagische Ballade verdichtet, gleich der Gespenster- oder Geisterballade, den Irrationalismus, wie er der *nordischen* Ballade im ganzen eigen ist. In der Vorstellung einer von dämonischen Geistern erfüllten Natur spiegeln sich uralte Ängste, die Ängste des Menschen, für den die Natur noch das gänzlich Unbegriffene und Unbewältigte ist. Die *nordische* Ballade wurzelt in einem vorwissenschaftlichen Weltbild, sie kommt einem naturwissenschaftsfeindlichen Ressentiment entgegen, das mit dem aufklärungsfeindlichen Affekt übereinstimmt, dem die deutsche Kunstballade erst ihre Entstehung verdankt. Wieviele große und gültige dichterische Leistungen solche Wendung gegen den Rationalismus des 18. Jahrhunderts auch im Bereich der Balladengattung ermöglicht hat, wird niemand verkennen. Man wird aber auch die Distanz beachten, die sich ein Dichter wie Schiller zu den spezifischen Ausprägungen der *nordischen* Ballade bewahrt hat. Ihm soll der Dichter — noch einmal ist die Rezension „Über Bürgers Gedichte" zu zitieren — „der aufgeklärte, verfeinerte Wortführer der Volksgefühle" sein[21], er wünscht sich den Dichter auf der Höhe des philosophierenden Zeitalters. Und auch wir dürfen, von unserer Epoche her, Fragen an die Verbindlichkeit der vielen, allzu vielen Gespenster-, Schauer- und naturmagischen Balladen richten. Unser gestörtes Verhältnis zur Ballade (Müller-Seidel), genauer zur *nordischen* Ballade, kommt nicht von ungefähr. Denn längst sind die Dämonen aus der Undurchdringlichkeit der unbegriffenen und schauerlichen Natur von einst ins Dickicht der gesellschaftlichen und politischen Systeme abgewandert. Nicht mehr in den Büschen, Wäldern und Wassern hausen die Dämonen; sie haben an Schreibtischen Platz genommen und üben von hier aus ihren geheimen Terror. Die Weisen der Welterfassung, welche die *nordische* Ballade ausgebildet hat, reichen für die bestürzend unheimlichen Erfahrungen unseres Jahrhunderts nicht mehr aus.

Fassen wir noch einmal zusammen. In der *nordischen* Ballade überwiegt die auffahrende, unbesonnene, aggressive, kämpferische und anstürmende Haltung zum Schicksal, zur Welt, zum menschlichen Gegenüber. Die Unversöhnlichkeit der Gegensätze und die heroische Unbedingtheit trägt in sich den Keim zum „tragischen" Ende. Zum Teil bleibt der Zusammenhang mit dem Heldenzeitlied und dem alten Heldenlied erkennbar. (Werden biblische Stoffe übernommen, entstammen sie dem Alten Testament.) Atmosphärisch bestimmend ist zumeist eine dunkle, neblige, nächtliche oder zerrissene Landschaft. Tritt die Natur dem Menschen handelnd gegenüber, wird sie als unheimlich, bedrohlich, feindlich erlebt. Magische und dämonische Kräfte verkörpern sich in Geistern oder Elementarwesen, die Verhängnis bewirken. Eine irrationalistische und vorwissenschaftliche Weltsicht benutzt (und variiert) zu ihrem künstlerischen Ausdruck mit Vorliebe mythologische Elemente, Elemente eines überformten Heidentums, wie sie durch Volkssagen überliefert sind.

Demgegenüber verstehen wir zwar die *legendenhafte* Ballade nicht als eine nur von christlichen — und sei es auch von überformten christlichen — Elementen geprägte Ballade; auch wollen wir den Begriff nicht auf Balladen mit religiösen Stoffen eingrenzen. Dennoch kann hier Christliches als das Vermittelnde gelten. Die in der legendenhaften Ballade überwiegende Gebärdensprache und Haltung weist ihrem Ursprung nach in den Bereich der vorder-, süd- und ostasiatischen Kulturen und Religionen, denen auch die christliche zugehört und deren Weltverständnis und menschliche Grundhaltungen erst das Christentum in unserm Kulturkreis vertraut gemacht hat. Für die menschliche Figur der *legendenhaften* Ballade kennzeichnend ist eine gelassene, im Erdulden standhafte, opferwillige oder kontemplative, weise Haltung zur Welt und zum Schicksal, Demut gegenüber dem Göttlichen oder die innere Kraft der Selbstüber-

windung, im zwischenmenschlichen Bereich die Haltung lieben-
der Hingabe und Hilfsbereitschaft oder märtyrerhaften Leidens.
Der Mensch-Natur-Antagonismus spielt hier so gut wie keine
Rolle. Was in der *nordischen* Ballade als Kampf, ereignet sich
in der *legendenhaften* Ballade als Passion. Während dort der
Geist der Unbedingtheit und Unversöhnlichkeit das Geschehen
zum Verhängnis treibt, bleibt hier die Dichtung für den Erbarmensappell und das Gnademotiv offen.
Merkmale der *nordischen* scheinen der deutschen Kunstballade
weithin ihre Signatur zu geben; gleichwohl sind Zeugnisse für
die *legendenhafte* Ballade nur wenig jünger. Vier Jahre nach der
„Lenore" entsteht Bürgers „Sankt Stephan" (1777). Das Gedicht bleibt in Bürgers Werk ein Einzelfall, wenn man so will ein
Kuriosum — des Dichters Talent drängte zur *nordischen* Ballade,
und trotz Wiederaufnahme der Lenoren-Strophe hat diese
legendenhafte Ballade keinen nennenswerten künstlerischen
Rang. Immerhin muß sie uns interessieren als erstes Beispiel
für eine — von der Forschung bisher noch nicht benannte —
„Unterart" der Gattung: die Märtyrerballade. Bürgers „Sankt
Stephan" ist sogar eine Märtyrerballade im reinen Sinne: balla-
disch verkürzte Darstellung einer Heiligen-Vita. Den Wunder-
taten und dem gläubigen Bekenntnis des „Gottesmannes" folgt
das Martyrium:

> Hinaus zum nächsten Thore brach
> Der Strom der tollen Menge,
> Und schleifte den Mann Gottes nach,
> Zerstoßen im Gedränge;
> Und tausend Mörderstimmen schrie'n,
> Und Steine hagelten auf ihn,
> Aus tausend Mörderhänden,
> Die Rache zu vollenden.
>
> Als er den letzten Odem zog,
> Zerschellt von ihrem Grimme,
> Da faltet' er die Hände hoch,
> Und bat mit lauter Stimme:
> „Behalt, o Herr, für dein Gericht
> Dem Volke diese Sünde nicht!—
> Nimm meinen Geist von hinnen! —"
> Hier schwanden ihm die Sinnen. [22]

17

Wie Annette von Droste-Hülshoff auf die stoffliche Bindung an die Heiligenlegende verzichtet und die Märtyrerballade in der Darstellung eines Seelenmartyriums dichterisch vertieft, wie andererseits Heine und Brecht die Märtyrerballade aus den religiösen Bezügen überhaupt lösen und die säkularisierte Form gesellschaftskritisch umfunktionieren, wird noch zu zeigen sein.

Bürgers balladische Behandlung eines Legendenstoffes mußte bei seinen Zeitgenossen nicht unbedingt auf Überraschung stoßen. Im Jahre 1776 hatte Ursinus nach einem zweiten Bürger gerufen, er wünschte nach der Renaissance der alten englisch-schottischen Balladen eine Wiederbelebung auch der Legendary Tales [23]. Herders Interesse galt nicht nur den Liedern und Balladen des Volkes, sondern auch der Legendendichtung, wie denn später Brentanos und von Arnims Sammlung „Des Knaben Wunderhorn" (1805/08) neben den Volksliedern und -balladen, den historischen Liedern und anderen Formen auch Legenden enthält. Zu Bürgers „Sankt Stephan" läßt sich Aug. Wilh. Schlegels „Der heilige Lukas" (1798) stellen, eine Legendenballade vom Schutzheiligen der Malerei.

2. Klassik und Romantik

Das erste künstlerisch bedeutende Zeugnis für die *legendenhafte* Ballade bleibt Goethes „Der Gott und die Bajadere". An dieser Ballade kann auch die „Legende" nicht gemessen werden. Freilich: die dem Geist spätmittelalterlich-altdeutscher Dichtung verpflichtete Legende vom Hufeisen tritt — Zeichen für das unbestechliche Stilgefühl Goethes — von Anfang an mit bescheidenerem Anspruch auf. Der schlicht-biedere Erzählton und der gemächlich fortschreitende Erzählvorgang, wie sie hier der Knittelvers erlaubt, sind einer volkstümlichen Legendendichtung gemäß, in der das Heilige mit heiterer Unbefangenheit in den menschlichen Alltag gezogen wird. Dagegen hebt sich „Der Gott und die Bajadere" schon durch die Sprach- und Versform ab, durch den hohen Stil und den kunstvollen Strophenbau. Die Einheiten von jeweils elf Versen scheinen bereits an die Grenze strophischer Ökonomie zu stoßen. Aber ein auffälliger Einschnitt und der metrisch-rhythmische Wechsel von acht trochäischen zu drei daktylischen Versen verhindern jegliche Monotonie und sichern der Strophe Gespanntheit und Lebendigkeit.

Die „indische Legende", am 9. Juni 1797 vollendet, kann nur auf dem Hintergrund der wenige Tage zuvor (am 5. Juni) abgeschlossenen „Braut von Korinth"[24] richtig beurteilt werden. Hier blendet die Balladenhandlung in eine große historische Wende, eine religionsgeschichtliche Umbruchsituation ein: das Christentum hat seinen Siegeslauf angetreten. Die Bewertung dieses Umbruchs, innerhalb der Ballade, versteht sich nicht zuletzt aus der unmittelbaren Begegnung Goethes mit der heidnischen Welt der Antike und ihrer sinnlichen Kunst und Kultur während der Italienischen Reise. Sie läßt ihn den Sieg des Christentums weniger als einen Sieg der höheren Religion denn als einen Eingriff in die sinnliche Natur des Menschen sehen. Aus einem Frevel an der menschlichen Natur entwickelt sich das Balladengeschehen. Den Rahmen bietet eines der häufigsten Bal-

19

ladenmotive, das Wiedergängermotiv, hier erweitert um das — zuerst in Sagen des Balkans anzutreffende — Vampirmotiv. Ein Mädchen in Korinth, durch ein Gelübde der christlich bekehrten Mutter ihrer Hoffnung auf die Ehe mit dem versprochenen Geliebten beraubt und durch Verzweiflung frühzeitig ins Grab gebracht, kehrt bei der Ankunft des Jünglings aus dem Grabe zurück und feiert mit dem Getäuschten eine schwülstige Liebesnacht. Wir erkennen die Motivation für das Erscheinen der Wiedergängerin: nicht unmäßige Trauer des Überlebenden, wie in Bürgers „Lenore" und der zugrunde liegenden Sage, sondern das im Leben vorenthaltene Recht, der unerfüllte Liebesanspruch treibt den Toten zurück. „Aus dem Grabe werd' ich ausgetrieben, / Noch zu suchen das vermißte Gut."

Der christlichen „Priester summende Gesänge" sind eingebrochen in die Welt der Götter, in der „noch Venus' heitrer Tempel stand", und nun rächt sich durch die Wiedergängerin die Göttin, indem sie Lebendes an das Tote bindet. Aber noch einem weiteren, schrecklichen Zwang zur Rückkehr gehorcht die Wiedergängerin. Nicht nur den ihr vorenthaltenen Mann zu *lieben* ist sie gekommen, sondern auch

> . . . zu saugen seines Herzens Blut.
> Ist's um den geschehn,
> Muß nach andern gehn,
> Und das junge Volk erliegt der Wut.

Die betrogene und nun entfesselte Liebessehnsucht entartet zur blutsaugerischen Gier des Vampirs. Unter allen Wiedergänger-Varianten hat das Vampirmotiv gewiß die geringste künstlerische Dignität. (Nicht zufällig sind heute die Vampirsagen beliebtes Stoffreservoir der Trivial- und Gruselfilme.) Man mag die Unterdrückung eines naturgegebenen sinnlichen Liebesverlangens durch die neue Religion als eine Unterdrückung des „Blutes" und somit die Gier des Vampirs nach Blut hier als bildhaft-symbolisch verstehen. Aber die wahllos gegen das „junge Volk" gerichtete Wut und Rache verletzt alle Maße, die mit dem geistigen Rang der Auseinandersetzung gegeben sind. Dieser unheimliche Einbruch des Dämonischen im Entwurf einer religions- und weltgeschichtlichen Wende hat etwas so Beklemmendes, daß er deren Ernst eher verdeckt als enthüllt. — Vielleicht hätte ein Anflug mehr des Humanen, das Goethe doch durchaus als eine Botschaft der Antike empfing, jene Verstörung, ja Bestürzung verhindert, mit der Freunde des Dichters — nicht nur der auch sonst oft kritische Herder — die Ballade aufnahmen. In seiner Schaurigkeit nimmt sich das Gedicht wie etwas Fremdes unter den späteren Balladen aus. Denn hier hellt nicht wie sonst (etwa im „Totentanz" von 1813) wenigstens ein Hauch von Ironie das Dämonische auf. Es mag gewesen sein, wie es E. Staiger sieht: „Gleich einem ungeheuren Traum, zu dem der Erwachte sich kaum zu bekennen wagt, muß das Gedicht sich von der Seele Goethes gelöst haben." [25]

Alle Bedenken aber wollen verstummen vor der Gewalt der Sprache in den letzten Strophen. Das Grausige ist, wie selten in der deutschen Literatur, durch die Vollkommenheit der dichterischen Sprache in die ästhetische Distanz gerückt. In der frühen Ballade vom „Untreuen Knaben" (1774) hatte Goethe vor der restlosen Beschwörung des Grausigen noch eingehalten, indem er das Gedicht im Schlußvers und -satz abbrach [26]. Hier braucht er es nicht mehr. Freilich wählt er auch hier das Mittel direkter Darstellung nicht. Kommendes wird lediglich durch die Rede der Wiedergängerin enthüllt. Was die Sprache zur Darstellung des Grausigen befähigt, ist ein gleichzeitiger Ausdruck des Leidens, der bereits das Grausige wieder neutralisiert. Das Pathos einer gequälten Seele bannt der Schauder.

Sehnsucht nach der Vereinigung mit den alten Göttern diktiert die letzten Worte. (Und es will nun, in dieser Schlußstrophe, nicht mehr viel heißen, wenn auch hier noch auf einen Zug der Vampirsage angespielt wird: auf die Erlösung des Vampirs von seinem Dämon durch den Verbrennungstod.)

> Höre, Mutter, nun die letzte Bitte:
> Einen Scheiterhaufen schichte du;
> Öffne meine bange, kleine Hütte,
> Bring' in Flammen Liebende zur Ruh'!
> Wenn der Funke sprüht,
> Wenn die Asche glüht,
> Eilen wir den alten Göttern zu.

Die thematischen Linien — das Motiv der sinnenhaften Liebe, das Verhältnis von Mensch und Gott — werden in „Der Gott und die Bajadere"[27] wiederaufgenommen. Auch über dieses Gedicht war Herder erzürnt, diesmal aus moralischen Gründen. Goethe rührte, mit der moralisch indifferenten Behandlung des Motivs der käuflichen Liebe, an Tabus; und es scheint, als habe er in der Legende mit dem Verhalten der Priester das bürgerliche Phari-säertum, das an seiner Ballade Anstoß nahm, bereits anti-zipiert.

Vergegenwärtigen wir uns den Vorgang. Mahadö, einer der drei höchsten indischen Götter, kommt in menschlicher Gestalt auf die Erde: „Soll er strafen oder schonen, / Muß er Menschen menschlich sehn." Am Stadtausgang zieht ihn eine Bajadere in „der Liebe Haus". (Es verdient vermerkt zu werden, daß sich Brechts dramatische Parabel „Der gute Mensch von Sezuan" aus einer ähnlichen Ausgangssituation entwickelt, daß freilich beim Dichter des 20. Jahrhunderts die „goldene Legende" ein „bitteres Ende" nimmt.) Des Gottes Prüfungen sind hart, aber in der Berührung mit ihm wird dem Mädchen zum erstenmal ihr Gewerbe zur Natur, wird Liebe überhaupt erst geweckt.

> Und er fordert Sklavendienste;
> Immer heitrer wird sie nur,
> Und des Mädchens frühe Künste
> Werden nach und nach Natur.
> Und so stellet auf die Blüte
> Bald und bald die Frucht sich ein;
> Ist Gehorsam im Gemüte,
> Wird nicht fern die Liebe sein.
> Aber sie schärfer und schärfer zu prüfen,
> Wählet der Kenner der Höhen und Tiefen
> Lust und Entsetzen und grimmige Pein.

Unlösliche Verknüpfung schafft die Liebe, so daß die Bajadere dem Leichnam des gestorbenen Gastes — um mit ihm verbrannt zu werden — zur Flammengrube folgt, wo nun die Priester ihr verweigern, was zwar Pflicht, aber auch alleiniges Recht der Gattinnen ist.

So das Chor, das ohn' Erbarmen
Mehret ihres Herzens Not;
Und mit ausgestreckten Armen
Springt sie in den heißen Tod.
Doch der Götterjüngling hebet
Aus der Flamme sich empor,
Und in seinen Armen schwebet
Die Geliebte mit hervor.
Es freut sich die Gottheit der reuigen Sünder;
Unsterbliche heben verlorene Kinder
Mit feurigen Armen zum Himmel empor.

Man hat betont, wie sehr bei Goethe der indische Stoff von abendländischem Geiste durchdrungen ist (Eliza M. Butler[28]), wie zumal die Schlußverse, die mit Sünde und Reue (reuiger Sünder) zwei neue Motive aufnehmen, christliche Thematik einlassen. Die Ballade wird durchsichtig für die Christus-Maria Magdalena-Konstellation (M. Kommerell[29]). Wie Christus den Pharisäern und moralisch Entrüsteten zum Trotz den Dienst der Sünderin annimmt und ihr vergibt, so freut sich hier „die Gottheit der reuigen Sünder".

In der „Braut von Korinth" wurden die antiken Götter gegen die Sinnenfeindlichkeit der neuen Lehre apologetisch in Schutz genommen. Hier scheint am Ende durch die „indische Legende" die neutestamentliche Geste des verzeihenden Gottes durch, die auch die sinnliche Liebe in die Absolution mit einbezieht. Was sich in der einen Ballade wie ein antichristlicher Affekt ausnimmt, korrigiert sich in der unmittelbar folgenden im Geiste des Christentums, ohne die Form des Widerrufs zu benötigen. Wo — nach dem Vorgang von Lessings „Nathan" — im Sinne einer die Religionen umgreifenden Humanität gedacht wird, bedarf es der Zurücknahme nicht. So wollen auch die beiden Dichtungen Goethes nicht als ein Für oder Wider vom Standpunkt religiös-konfessioneller Tendenz mißverstanden werden. Weder geht es in der ersten Ballade um Diffamierung, noch in der zweiten um Rehabilitierung des Christentums. Vielmehr wird das Christentum hier nur insoweit Gegenstand, als es die Spannungen zwischen der natürlichen sinnlichen Liebe und einem religiösen Dogmatismus („Keimt ein Glaube neu, / Wird oft Lieb' und Treu' / Wie ein böses Unkraut ausgerauft") und ihre Überwindung zu erläutern vermag. Im übrigen bilden die beiden Balladen eines der Dokumente für die Polarität Goethescher Denk-, Empfindungs- und Gestaltungsweisen.

Zugleich nun kann sich an den beiden Gedichten unsere Unterscheidung bewähren. Daß die *nordische* Ballade nicht an die „nordische" Lokalität gebunden zu sein braucht, zeigt die „Braut von Korinth". Goethe hat hier eine ursprünglich antike Gespenstergeschichte aufgegriffen und stofflich erweitert. Gerade die Dämonisierung der harmlosen Gespenstergeschichte aber, die Verdichtung der schaurigen nächtlichen Atmosphäre, weist auf die Merkmale der *nordischen* Ballade. Goethe selbst muß es ähnlich empfunden haben. Er schreibt am 22. Juni 1797 an Schiller, daß er sich entschlossen habe, erneut an den Faust zu gehen: „Unser Balladenstudium hat mich wieder auf diesen Dunst- und Nebelweg gebracht ..." [29a] Er kann dabei — was seine eigenen Balladen angeht — im engeren Sinne nur an den „Schatzgräber" und die „Braut von Korinth" gedacht haben.

Nicht nur atmosphärisch heben sich die „indische Legende" und „Die Braut von Korinth" gegeneinander ab. Dem aggressiven Liebes- und Vernichtungsdrang der „Braut" steht die demütige und opferwillige Hingabe der Bajadere gegenüber. Wo in der einen Ballade der Frevel einen noch furchtbareren Frevel gebiert und das düstere Verhängnis hereinbricht, wirkt in der anderen das Gebot der Versöhnung, greifen Gnade und Erlösung ein. (Freilich bändigt auch in der „Braut von Korinth" am Ende ein Ausdruck des Leidens, der Passion den *nordischen* Charakter der Ballade.)

Noch einmal, im Alter, gibt Goethe einem indischen Legendenstoff — ihn verwandelnd — die Form der Ballade, und wieder geht es um die Verbindung des niedrigsten menschlichen zum höchsten, dem göttlichen Wesen, wenn auch das Werk der Vermittlung hier bitter erkauft werden muß. Was wir in der Paria-Trilogie (Erstdruck 1824) [29b] als Ballade ansehen, ist allerdings nur der Mittelteil, „Legende" überschrieben, der von „Des Paria Gebet" und dem „Dank des Paria" umrahmt wird. Der Bitte des Angehörigen der verachteten Paria-Kaste um eine Vermittlerin zum Gotte Brahma wird Antwort in der „Legende", der Geschichte von der Entstehung der Göttin, aber so, daß der Paria im Schlußteil wie für eine soeben geschehene kultische Stiftung und die eigene Neugeburt dankt. Die Geburt der Göttin vollzieht sich im Vorgang einer furchtbaren Verwechslung, als Ergebnis menschlicher Übereilung, aber zugleich des göttlichen Plans. Der Frau eines Priesters, deren Reinheit durch ein verführerisches Spiegelbild göttlicher Schönheit erschüttert und die nach waltendem Gesetz enthauptet wurde, widerfährt eine bestürzende Auferstehung, nachdem der eigene Sohn ihr Haupt dem Rumpf einer gerichteten Pariafrau aufgesetzt hat. Erstanden ist ein gespaltenes Wesen, das auf ewig die Spannung des Gegensätzlichen, des „weisen Wollens" und des „wilden Handelns", des läuternden Geistes und der rohen Sinne, auszuhalten hat:

> Und so soll ich, die Brahmane,
> Mit dem Haupt im Himmel weilend,
> Fühlen, Paria, dieser Erde
> Niederziehende Gewalt.

Wiedergeboren, um zu versöhnen, bleibt sie selbst innerlich unversöhnt — auch mit Brahma, der sie zu schmerzlichem Dasein „gräßlich umgeschaffen" hat:

> Was ich denke, was ich fühle —
> Ein Geheimnis bleibe das.

Der Dienst der Vermittlung fordert das Opfer. Erst das Leiden am Widerspruch, die Teilhabe am Oben und Unten, am Hohen und Niedrigen ermöglicht die Erlösung auch des Geringsten. Vielfach wird, was der Einen stellvertretend an Qual auferlegt ist, der gequälten Menschheit mit Gutem vergolten:

> Wandert aus durch alle Welten,
> Wandelt hin durch alle Zeiten
> Und verkündet auch Geringstem:
> Daß ihn Brahma droben hört!
> Ihm ist keiner der Geringste.
> Wer sich mit gelähmten Gliedern,
> Sich mit wild zerstörtem Geiste,
> Düster ohne Hülf' und Rettung,
> Sei er Brahma, sei er Paria,
> Mit dem Blick nach oben kehrt,
> Wird's empfinden, wird's erfahren . . .

Es ist dies eine Botschaft, vor der die Kastengliederungen als unwesentlich zerfallen, eine Erbarmensverkündigung zwar für alle, zu allererst jedoch für die Ausgeschlossenen, Ausgestoßenen, für die Letzten in der Rangordnung der Gesellschaft. Freilich meint hier Pariatum mehr als nur einen sozialen Status, nämlich auch die Sphäre menschlicher Dumpfheit, an die das Haupt der Frau gebunden wurde: die „niederziehende Gewalt" des Ungeordneten im Menschen. Rettung ist dem Niedrigen jeglicher Gestalt verheißen.

So nimmt die Paria-Legende jene Grundgebärde auf, die auch in „Der Gott und die Bajadere" bestimmend war: das humane Umgreifen der „tief Herabgesetzten". Fürsprechende Sympathie für die verachtete menschliche Kreatur — sie wird uns als Grundhaltung *legendenhafter* Balladen noch vielfach begegnen.

*

Nähern wir uns der *legendenhaften* Ballade Schillers über ein Gedicht, in dem Merkmale der *nordischen* und der *legendenhaften* Form in nahezu exemplarischer Weise zusammentreffen. Dem „Kampf mit dem Drachen" aus dem Jahre 1798 liegt eine Erzählung über die Ritter des Malteserordens zugrunde, die von einem angeblichen Drachenkampf um das Jahr 1345 berichtet. Auch ein lehrhafter Zug ist in dem legendenhaften Erzählstoff vorgebildet. Wie in den meisten Balladen Schillers gewinnt der Stoff spannungsvolle szenische Anschaulichkeit. Davon vermag die Skizzierung des Geschehens kaum einen Begriff zu geben: Gegen den Befehl des Großmeisters hat ein Ordensritter den Kampf mit einem gefährlichen und räuberischen Drachen gewagt; und obwohl das Volk den Ritter als seinen Befreier feiert, zieht ihn der Großmeister zur Rechenschaft. Mut sei Rittertugend, aber Gehorsam die erste Pflicht des Ordensritters. Der Beschuldigte rechtfertigt sich mit einem packenden Bericht von seinem Kampf mit dem Lindwurm. Aber der Großmeister bleibt unbeugsam.

> Da bricht die Menge tobend aus,
> Gewalt'ger Sturm bewegt das Haus,
> Um Gnade flehen alle Brüder;
> Doch schweigend blickt der Jüngling nieder,

26

Still legt er von sich das Gewand
Und küßt des Meisters strenge Hand
Und geht. Der folgt ihm mit dem Blicke,
Dann ruft er liebend ihn zurücke
Und spricht: „Umarme mich, mein Sohn!
Dir ist der härtre Kampf gelungen.
Nimm dieses Kreuz: es ist der Lohn
Der Demut, die sich selbst bezwungen."[30]

Das Gedicht trägt mit dem Gegensatz zweier ritterlicher Haltungen gleichsam den Gegensatz zweier Balladenkonzeptionen aus. Über die kämpferische Tugend und Tapferkeit des Rittertums erhebt der Großmeister die Demut und Selbstbezwingung des Ordensritters. Auf die Tugendwelt der alten Heldendichtung verweist noch das Motiv des Drachenkampfes; den Schluß aber beherrscht das Zeichen des Kreuzes, das Symbol jener Tugendwelt, die sie ablöste. Heroisch-kämpferische Haltung einerseits, Selbstüberwindung andererseits, sie treten in Konkurrenz miteinander, werden aneinander gemessen. Man soll dieser Ballade gewiß keine programmatische Absicht unterstellen. Aber wir sind doch berechtigt, in dem Tugendproblem hier zugleich ein Problem der Gattung zu sehen. In der Selbstbezwingung des Ritters manifestiert sich uns die Überwindung der *nordischen* durch die *legendenhafte* Ballade.

Selbstverleugnung begegnet als Zeitüberwindung in „Ritter Toggenburg" (1797). Das Zeitproblem wie das Treuemotiv legen den Vergleich mit einer anderen Ballade, mit Schillers „Bürgschaft", nahe. Die Fabel dieses hohen Liedes der Freundestreue ist hinlänglich bekannt. Drei Tage Aufschub sind dem Verurteilten gewährt; währenddessen hat der Freund mit seinem Leben zu bürgen. Es gilt die Frist einzuhalten, um den Freund vor dem stellvertretenden Kreuzestod zu retten. Das Geschehen ist determiniert als ein Wettlauf mit der Zeit, und der strukturbestimmenden Kraft der Zeitkategorie fügen sich die Ereignis- und Raumabfolge. Schon im Ansatz der Ballade verrät sich ihre äußerst dramatische Konzeption, die letzte Steigerung des dramatischen Stils: ein Ziel ist vorgeworfen, das es nicht nur einzuholen, sondern f r i s t g e r e c h t einzuholen gilt. Treuemotiv und Zeitkategorie funktionalisieren sich wechselseitig. — Alle

27

dramatische Zielgerichtetheit fehlt der *legendenhaften* Ballade „Ritter Toggenburg". Nicht Freundestreue, sondern treue Liebe bewährt sich hier. Die Zeit erscheint als bestimmendes Moment geradezu ausgeschaltet: Die Liebe eines Ritters wird nur durch eine Art schwesterlicher Liebe der Frau erwidert; und aus einem Kreuzzug frühzeitig zurückkehrend, findet er die Geliebte als Nonne im Kloster. Er kleidet sich in ein härenes Gewand und baut sich eine Hütte in der Nähe des Klosters, an dessen Fenster sich einmal täglich die Geliebte zeigt. So gehen die Jahre dahin; noch der Tote hat sein Gesicht dem Fenster zugewandt. — Die Ballade zählt gewiß nicht zu den gelungensten Gedichten Schillers; aber ihre künstlerischen Mängel erscheinen geringer, sobald man ihren parabolischen Charakter erkannt hat. Treue ist auf Dauer gerichtet, will das Gesetz des zeitlichen Wandels entmächtigen. Wahre Treue ist aller Zeitverfallenheit enthoben. Im Ritter erfüllt sich das Wesen der Treue ganz, weil ihm die Zeitüberwindung ganz gelingt.

Solche Zeitbehandlung und -auffassung kann, wenn auch mit Einschränkung, als exemplarisch für die *legendenhafte* Ballade gelten. Sie wird überall dort faßbar, wo sich in die für die *legendenhafte* Ballade kennzeichnenden menschlichen Haltungen ein Moment der Entsagung, der Askese mischt. Das trifft zu für den Märtyrer wie für den Weisen, für den opferwilligen und duldenden wie für den hingabebereiten, sein Selbst verleugnenden Menschen: immer transzendiert das Zeitbewußtsein den Augenblick. Die heroische, aggressive, jähe, kämpferische, anstürmende Haltung dagegen drängt nicht nur auf Bewährung, sondern auch auf Erfüllung im Hier und Jetzt des Augenblicks.

Freilich ist Treue kein der *legendenhaften* Ballade eigenes Motiv. Man wird sogleich an Goethes „König in Thule" denken, den schon Name und Landschaft als *nordische* Ballade ausweisen. Aber gerade an diesem Gedicht wird auch der andere Zeitaspekt der Treue deutlich. Treue „bis ins Grab" schließt hier das immer erneute Ergreifen des Hier und Jetzt mit ein. Das Unterpfand der Treue, der Becher, ist Symbol der Dauer wie des genossenen Augenblicks. Der „alte Zecher" leert ihn „jeden Schmaus", trinkt „Lebensglut" daraus. Blicken wir von Goethes Ballade noch einmal auf den „Ritter Toggenburg" zurück, so enthüllt sich eine der künstlerischen Unzulänglichkeiten des Schillerschen Gedichts: Zeitüberwindung wird hier durch Askese erreicht, ohne daß für solche Entsinnlichung die — der *legendenhaften* Ballade gemäße — Vergeistigung eingetauscht würde.

An ähnlichen Bedenken brauchte die Wiederentdeckung [31] von Schillers „Der Graf von Habsburg" (1803) nicht zu scheitern. Im Aufbau stimmt Goethes „Ballade" (1813/16) — die mit der Gattungsbezeichnung selbst betitelte Ballade vom vertriebenen und heimgekehrten Grafen — weitgehend mit diesem Gedicht Schillers überein. Nach einer Einführung des Erzählers in die Rahmensituation berichtet ein Sänger über Vorgänge, deren handelnde Personen zugleich Personen des Rahmens sind. Ihre Identität wird erst am Ende, in einer Wiedererkennungsszene, aufgedeckt. Späte Reflexe der Balladen-Diskussion des Jahres 1797 scheinen sich in den beiden Gedichten künstlerisch abzudrücken. Das Erzählen eines balladischen Geschehens selbst wird zum Gegenstand der Ballade.

Den Rahmen in Schillers Gedicht bildet das Festmahl zu der Aachener Krönung Rudolfs von Habsburg, die eine schreckliche kaiserlose Zeit, das Interregnum, beendet und die Welt zur Ordnung zurückruft. Befreit ist der Schwache und Friedliche von der Willkür des Mächtigen, wiederhergestellt das höchste irdische Richteramt. Dem würdigen Augenblick gibt der Gesang eines Sängers musisch-geistigen Glanz. Sein Lied — den legendenhaften Stoff fand Schiller bei seinen Vorstudien zum „Wilhelm Tell" — erzählt vom demütigen Dienst eines adligen Herrn am himmlischen Herrn, von der selbstlos einem Priester gewährten Hilfe. Nach beendetem Vortrag werden der Priester des Liedes als der Sänger und der adlige Herr als der jetzige Kaiser erkannt. Die erzählte Situation verschränkt sich mit der Rahmensituation, einer zugleich historisch bedeutsamen Situation. Die legendäre Erzählung zeigt den Grafen als einen Berufenen und rechtfertigt seine Berufung zum Kaiser, sie beglaubigt die Richtigkeit der historischen Entscheidung, weil sie die Demut des weltlichen Herrschers gegenüber der göttlichen Instanz verbürgt. In der Gleichsetzung des Priesters mit dem Sänger, die sich im Übergang von der Binnen- zur Rahmenerzählung der Ballade vollzieht, wird man noch keine Säkularisationserscheinung, keine Übertragung einer religiösen Funktion in einen nichtreligiösen Bereich sehen dürfen. Für Schiller sind Kunst und Religion von Anfang her und in ihrem Wesen verschwistert.

Wenngleich nicht dem Ursprunge nach verwandt, so stehen doch auch Dichter und weltlicher Herrscher ranggleich nebeneinander:

> „Nicht gebieten werd' ich dem Sänger," spricht
> Der Herrscher mit lächelndem Munde,
> „Er steht in des größeren Herren Pflicht ..." [32]

Schon in der zwei Jahre vor der Ballade entstandenen „Jungfrau von Orléans" (I, 2) wird die Ebenbürtigkeit sentenzartig betont: „Drum soll der Dichter mit dem König gehen, / Sie beide wohnen auf der Menschheit Höhen." Ein neues Selbstbewußtsein des Dichters hat sich Ausdruck geschaffen in der Figur des Sängers. Das Beispiel der deutschen Klassik zeugt ganze Geschlechter von Sänger-Balladen, die allesamt ihre Abkunft von Goethes „Sänger" (1783) nicht verleugnen (so sehr auch das Goethesche Thema variiert wird). Bei Uhland beginnt, in mindestens einem halben Dutzend von Sänger-Gedichten, bereits die Verflachung, die in der Dichtung der klassisch-romantischen Epigonen dann die Symbolfigur des Sängers zum Klischee erstarren läßt. Was bei Goethe und Schiller noch Ausdrucksorgan eines neuen Selbstverständnisses der Kunst und des Dichters ist, entleert sich bei einem Epigonen wie Geibel [33] zum Mittel der Selbstbespiegelung: die Haltung des „königlichen Dichters" spreizt sich zur Pose.

Uhland freilich zeigt auch schon das Zerbrechen jener idealen Symbiose von Herrscher- und Dichtertum, wie sie Schiller im „Grafen von Habsburg" entwirft. Die Entzweiung von König und Sänger wird thematisch in „Des Sängers Fluch" (1814). Den Stoff verdankt Uhland wahrscheinlich einer alten schottischen Ballade. Mißachtung der Kunst und Mord am Sänger ziehen den Fall des Königs nach sich:

> Des Königs Namen meldet kein Lied, kein Heldenbuch;
> Versunken und vergessen! Das ist des Sängers Fluch." [34]

Nicht in Uhlands vielbeachteter Ballade aber hat das Thema der Entzweiung seine künstlerisch gültigste Gestalt gefunden, sondern in Heines kaum recht gewürdigter Romanze „Der Dichter Firdusi". Wir werden darauf zurückkommen müssen.

Sein Gedicht „Das verschleierte Bild zu Sais" (1795) hat Schiller nicht zu den Balladen gestellt. Gleichwohl sind die balladenhaften Züge unübersehbar. Und sobald man Ballade mit *nordischer* Ballade nicht mehr gleichsetzt, bestehen keine Bedenken, das Gedicht in eine Geschichte der deutschen Ballade mit hineinzunehmen [35]. Auf einer alten ägyptischen Sage beruht die balladisch-parabolische Erzählung vom wißbegierigen Jüngling, der in Sais die geheime Weisheit der Priester zu erlernen sucht, der gegen das Gebot der Gottheit den Schleier des Bildes in der einsamen Rotonde hebt, um die Wahrheit zu schauen, und aus der Ohnmacht zu einem freudelosen Leben erwacht:

> Ihn riß ein tiefer Gram zum frühen Grabe.
> „Weh dem," dies war sein warnungsvolles Wort,
> Wenn ungestüme Frager in ihn drangen,
> „Weh dem, der zu der Wahrheit geht durch Schuld!
> Sie wird ihm nimmermehr erfreulich sein." [36]

Was hinter dem Schleier verborgen war, welcher Anblick oder welche Erkenntnis den Jüngling überfiel, bleibt im Dunkel. Die Ballade läßt uns vor dem Rätsel zurück, und der Dichter hat jeder Deutung, die Eindeutigkeit herbeizwingen will, den Weg verlegt. Immerhin gibt das Geschehen soviel preis: der Besitz der Wahrheit raubt alle Heiterkeit und wirkt tödlich.

Hier drängt ein vorausschauender Blick auf Brechts „Legende von der Entstehung des Buches Taoteking ..." sich auf. Auch wenn der Ballade die unmittelbaren Entsprechungen zum „Verschleierten Bild zu Sais" fehlen, läßt sich an ihr des Dichters Haltung zum Wahrheits- und Wissensproblem ablesen; anderes wird ergänzt aus der Kenntnis des Gesamtwerks. In Brechts „Legende" schlägt der in die Emigration gehende Laotse die Bitte des Zöllners, seine Weisheitssprüche niederzuschreiben, nicht ab, denn: „Die etwas fragen, / Die verdienen Antwort." Und der Erzähler resümiert am Ende: „man muß dem Weisen seine Weisheit erst entreißen." Die Wißbegierde erscheint als eine Tugend, ihr sind Grenzen nicht gesetzt. Aus dem Prozeß der Wahrheitsfindung ist die Gottheit ausgeschaltet; und es gibt kein Tabu, in das der fragende Mensch nicht hineinstoßen dürfte. Denn eben das Fragen, Zweifeln, Wissenwollen, das Eindringen in immer weitere Gebiete des Unerforschten weist den Menschen als Vernunftwesen aus. Es ist der potenzierte Geist der Aufklärung, der Brechts Haltung zum Wissensproblem bestimmt. Auch von Schiller führen klare Verbindungslinien zur Aufklärung. Aber für ihn bleibt eine Schranke aufgerichtet, hinter der die Forschbegierde des Menschen auf die tödliche Wahrheit stößt. Brecht sieht in jeglicher Verschleierung der Wahrheit den Versuch, die Interessen der herrschenden Klasse zu schützen; sie steht bei ihm unter Ideologieverdacht. Für Schiller ist die Verhüllung der Wahrheit noch das Werk der Gottheit. — Solche Gegensätze stecken Punkte ab, zwischen denen sich die Ballade im Laufe von anderthalb Jahrhunderten bewegt.

Der starke Anteil der Dialogform im „Verschleierten Bild zu Sais", der Einbau eines spannungerzeugenden Moments und die Hinführung des Geschehens auf eine Entscheidungssituation — das alles läßt den Dramatiker Schiller erkennen. Sehr viel ausgeprägter noch ist der dramatische Stil in Balladen wie „Der Taucher", „Die Kraniche des Ibykus", „Der Ring des Polykrates" und vor allem „Die Bürgschaft". Schiller ergreift die Balladenform als eine lyrisch-epische Kleinform des Dramas.

Dennoch sind Unterscheidungen zu treffen: Balladen wie dem „Grafen von Habsburg" und dem „Ritter Toggenburg" eignet eine — bei Schiller um so auffälligere — Tendenz zum Epischen. Und hier rechtfertigt sich die Verallgemeinerung: für die *legendenhafte* Ballade ist weithin ein Übergewicht der epischen Gattungsidee kennzeichnend. Die gelassene, an einzelnen Punkten verweilende, das Geschehen unter der Kategorie der Substantialität erfassende Erzählweise entspricht am ehesten dem Gegenstand der *legendenhaften* Ballade — sie vermag Haltungen wie die des Weisen oder des Märtyrers künstlerisch angemessen zu erfassen.

*

Daß sich indessen alle Schematisierung verbietet, lehrt das Beispiel Brentanos. Die romantische Ballade Brentanos und Eichendorffs geht eine Verbindung mit dem Lyrischen ein, die in der Sammlung „Des Knaben Wunderhorn", in der wechselseitigen

Angleichung von Volkslied und Volksballade, Vorbild und Entsprechung hat. In der liedhaften Form verschwimmen die Umrisse balladischen Geschehens.

Wie eine lyrische Grundhaltung ein von der *nordischen* Ballade her vertrautes Motiv, das Wiedergängermotiv, zu verwandeln vermag, zeigt Clemens Brentanos „Auf dem Rhein"[37]. Die Ausgangssituation hat starke Berührungspunkte mit der in Bürgers „Lenore": Tod der Geliebten, an den der Geliebte nicht glauben will, Erwartung und Wiederkehr der (toten) Geliebten.

> Ein Fischer saß im Kahne
> Ihm war das Herz so schwer,
> Sein Lieb war ihm gestorben,
> Das glaubt er nimmermehr.
>
> Und bis die Sternlein blinken,
> Und bis zum Mondenschein,
> Harrt er, sein Lieb zu fahren
> Wohl auf dem tiefen Rhein.
>
> Da kommt sie bleich geschlichen,
> Und schwebet in den Kahn ...

Und nun beginnt die gemeinsame Fahrt des Fischers und der Toten.

Nichts erinnert in der Trauer des Fischers an die hadernde Verzweiflung und die jähe Gestik Lenores. „Ihm war das Herz so schwer" — der Vers beschreibt, volksliedhaft und im Ton von Goethes Gretchen-Lied, eine Trauer, die nicht nach außen drängt, sondern sich ganz ins Gemüt zurückzieht. Die Sanftheit, in die der Schmerz zurückgenommen ist, durchdringt als Stimmungsmoment auch das Geschehen. Bei Bürger jagen der Tote und die Lebende in einem furiosen Ritt durch das nächtliche Land. Hier gleitet das Paar den Rhein hinab; und kein Element vermöchte den lyrischen Fluß des Geschehens besser zu versinnlichen als das treibende, wiegende Wasser. Manchmal zwar scheint es, als drohe dem Kahn von daher Unheil. Aber die Gefahr geht von der schwankenden Toten aus, die noch nach den Dingen der Welt greift, an denen der Kahn vorübergleitet. Und immer wieder besänftigt die Ruhe des Lebenden. Bestimmender Hintergrund für das Verschwebende des Geschehens ist die Landschaft, die beide durchfahren. Bei Bürger stürzen an den Jagenden die Landschaftsbilder wie in chaotischer Bewegtheit vorüber. Hier ziehen mondbeschienene Berge und große Städte vorbei, und schon lösen sich die Bilder in akustische Eindrücke auf. Von den Städten klingen Glocken her, aus einem Kloster dringt Gesang. Nun erhebt sich auch aus dem Kahn das Lied, löst sich die Trauer im Gesang.

> Da singt Feinslieb gar helle
> Die Metten in dem Kahn
> Und sieht dabei mit Thränen
> Den Fischerknaben an.
>
> Da singt der Knab' gar traurig
> Die Metten in dem Kahn,
> Und sieht dazu Feinsliebchen
> Mit stummen Blicken an.

Immer bleicher wird das Mädchen. Als der Fischer sie am Morgen wecken will, findet er sie nicht mehr. Die mögliche Erwartung des Lesers, daß nach Analogie anderer Geisterballaden die Tote den Lebenden ins Totenreich hole, erfüllt sich nicht. So ganz freilich verliert sich das Motiv nicht: der Fischer läßt sich vom Strom in die See hinaustreiben. — Und nun gibt sich der Erzähler selbst zu erkennen:

> Ich schwamm im Meeresschiffe
> Aus fremder Welt einher,
> Und dacht an Lieb und Leben,
> Und sehnte mich so sehr.
>
> Ein Schwälbchen flog vorüber,
> Der Kahn schwamm still einher,
> Der Fischer sang dies Liedchen,
> Als ob ich's selber wär.

Die Ballade ist Gesang des Fischers (der Balladenfigur), zugleich aber Lied, das der Erzähler selber gesungen haben könnte. Zwar verhindert das „als ob" die äußere Identität des Erzählers mit dem Erlebenden, aber über seine Gestimmtheit („Und dacht an Lieb und Leben / Und sehnte mich so sehr") wird doch eine Einheit erreicht, in der die Distanz des Berichtenden aufgegeben ist. Über zwei Stufen verwandelt sich so der Erzähler in das erlebende, das lyrische Ich.

Ein Balladenschluß wie dieser ist deshalb grundsätzlich zu unterscheiden von der formelhaften Wendung, mit der in Volkslied oder -ballade der Dichter am Ende wenigstens seinen Beruf, seine Gruppenzugehörigkeit verrät. Doch finden wir auch die volksliedhafte Schlußformel bei Brentano: „Wer hat dies Lied gesungen? / Ein Schiffer auf dem Rhein ..." („Lore Lay") [38].

Von vornherein verschränken sich lyrisches und erzählerisches Ich in der wohl tiefsten Ballade Brentanos, in „Ich kenn' ein Haus, ein Freudenhaus!" (1816 entstanden) [39]. Das Gedicht ist eine jener drei deutschen Balladen, in denen in künstlerisch bedeutender Weise das Dirnenmotiv behandelt wird; und wie Goethes „Der Gott und die Bajadere" und Brechts „Legende der Dirne Evlyn Roe" folgt es dem Modell der *legendenhaften* Ballade. Aber bei Brentano steht — im Unterschied zu den beiden anderen Autoren — die Annäherung an die *legendenhafte* Ballade im Zusammenhang mit einer religiösen Wende im Leben des Dichters (in den Jahren um 1817). Unmittelbar an den Ton und Gehalt christlicher Legendendichtung schließt sich Brentano in der Ballade „Die Gottesmauer" (1815 entstanden) an: der Gebetswunsch einer armen Frau, Gott möge sie und ihren — ungläubigen — Enkel durch eine Mauer vor fremdem Kriegsvolk schützen, geht in Erfüllung, als eine riesige Schneewehe entsteht, die das Haus verbirgt; das Wunder hat sich ereignet, fromme Zuversicht wird belohnt. Auf solche volkstümliche Naivität ist die Freudenhaus-Ballade nicht gestimmt. Schon die Motiv- und Milieuwahl bringt eine Doppelschichtigkeit des Geschehens und eine innere Gespanntheit der religiösen Problematik mit, deren die einfache Wundermär enträt. Die Ballade läßt sich auf Zwielichtiges ein; darauf verweist sogleich der Ich-Erzähler, der sich als ein Besucher des Freudenhauses einführt:

> Der Himmel weiß wohl wer ich bin,
> Die Welt schimpft was ich scheine.

Hier wird eine Anklage gegen moralische Selbstgerechtigkeit laut, die in verschärfter Form in den *legendenhaften* Balladen der Annette von Droste-Hülshoff wiederkehrt. Freilich schafft auch die Entgegensetzung von wahrer und scheinhafter Absicht schon Klarheit darüber, daß den Sprecher nicht übliches Ver-

langen ins Freudenhaus zieht. Denn es sind nicht die Vergnü-
gungen, die er sucht, nicht die „bösen Feen", welche die Sinne
„schwindeln" machen. Immer bleiben die attributiven Bestim-
mungen eindeutig wertend, d. h. abwertend: über die „himmel-
schreiende Schwelle" tritt man ins „Haus der Sünde", aus dem
„Zucht und Ehr' und Pflicht" hinwegrufen. Nirgendwo schränkt
der Erzähler sein Urteil ein, daß dieses Freudenhaus ein sittlich
und religiös verwerflicher Ort ist und seine unbußfertigen In-
sassen Werkzeuge der Verführung zum Bösen sind. Insofern
wird das Dirnenmotiv hier gar nicht — wie doch bei Goethe und
Brecht — mit einer Bereitschaft zur Toleranz aufgegriffen. Das
Problem der Gnadenwürdigkeit stellt sich nur für eine Dirne,
die keine ist (oder es nicht mehr ist). Den Erzähler treibt Mitleid
ins Freudenhaus, das Erbarmen mit einer Frau, die, dem Kreis
der anderen entfremdet, den „schweren Büßer-Orden" trägt und
scheinbar „zur Närrin worden" ist, die — „mit Gott versöhnt" —
den Hohn der anderen erduldet. Deutlich treten in der armen
Büßerin die Züge der Märtyrerin hervor. Aber noch ein weiteres
Motiv fügt sich an und wird immer wesentlicher, so daß sich
das Dirnenmotiv merklich verflüchtigt. Im Leid der Büßerin
ist, so wird es dem Besucher klar, noch ein anderer Schmerz
mächtig: die Trauer der Mutter um das verlorene Kind. Einen
Augenblick lang mag es scheinen, als mische sich in ihren
Schmerz auch die Reue über eine schwere Tat, als spiele hier das
Kindesmordmotiv eine Rolle. Aber keine Bestätigung bietet der
Text — und die Rätselhaftigkeit, in die das Schicksal der Büßerin
gehüllt bleibt, läßt nur vage Vermutungen zu. Denn im Balladenvorgang, der das Freudenhausmilieu allmählich hinter sich
läßt und das Geschehen in den Bereich der übersinnlichen, visionären Wahrnehmung überführt, gewinnt das Kind zeichenhafte,
auf Erlösung verweisende Bedeutung. Die Öffnung der realen
zur visionären Erfahrung vollzieht sich, nachdem der Erzähler,
ans Grab des Kindes geführt, die Mutter in heilsamen Schlaf
gesungen hat.

> Und da sie schlief, da stieg so hold
> Ein Kindlein aus dem Hügel,
> Trug einen Kranz von Flittergold
> Und einen Taschenspiegel.

> Und brach ein Zweiglein Rosmarin,
> Das ihm am Herzen grünet,
> Und legt es auf die Mutter hin,
> Und sprach: „Gott ist versühnet!"
>
> Und wo den Rosmarin es brach,
> Da bluteten zwei Wunden ...

Von zweifacher Art sind die Attribute des Kindes. Im Kranz von Flittergold und im Taschenspiegel wird noch die sündhafte Welt des Freudenhauses zeichenhaft vergegenwärtigt; als Heilssignale dienen der immergrüne Rosmarin und die blutenden Wunden. So bleiben die Attribute des Kindes einerseits auf die religiöse Existenz der Mutter bezogen und deuten andererseits auf die Figur des Heilands, der die Sünden der Menschheit sühnte. Dieser doppelte Verweisungs- und Sinnbezug im Bild des Kindes, das auch nach dem Verschwinden der visionären Erscheinung Bestandteil der inneren Erfahrung des Sprechers bleibt, muß beachtet werden. Denn die Christus-Analogie verdichtet sich nicht zum Symbol; in den Schlußstrophen werden Jesus und das Kind der Mutter nebeneinander genannt. Wie in den Attributen des Kindes der allegorische Charakter überwiegt, so trägt auch die Gesamterscheinung allegorische Züge. Die Begegnung mit dem Kinde verwandelt die Beziehung des Erzählers zur Büßerin — zum Erbarmensantrieb kommt das Gefühl eigenster Betroffenheit —; sie stiftet eine unauflösliche Bindung, in der sich der Sprecher die Erlösungssehnsucht der Mutter ganz zu eigen macht. So wird aus dem mitleidenden Besucher des Freudenhauses der Eremit:

> Es brach das Haus, der Kranz fiel ab,
> Fiel auf den Sarg der Frauen,
> Ich blieb getreu, thät bei dem Grab
> Mir eine Hütte bauen.

Alle Gedanken richten sich jetzt auf das Jüngste Gericht und die inbrünstige Fürsprache.

> Oft mit dem Kind im Sturm und Wind,
> Sing ich auf meinen Knieen:
> O Jesus! du gemordet Kind,
> Du hast ja auch verziehen!

Das Kind der Dirne und Büßerin ist Vermittler zum Gottessohn.

So durchschreitet der Balladenvorgang einen weiten Bild- und Bedeutungsraum: vom Freudenhaus über die büßende Dirne, die Kindesvision und das der Fürbitte geweihte Dasein bis zum Jüngsten Gericht und zu jenem letzten christlichen Mysterium, vor dessen bildlicher Hervorrufung das Gedicht einhält. Und es ist dies ein Vorgang, in den der Ich-Erzähler zunehmend selbst integriert wird, so daß am Ende erzählerisches Subjekt und Objekt verschmolzen sind. Die starke Spannung, in der Bildbereiche wie die des Freudenhauses, des Grabhügels oder der Kindesvision zueinander stehen, wird zwar gelockert durch eine Mehrschichtigkeit der Bedeutung, welche die Bereiche füreinander öffnet, findet aber seine natürliche Erklärung erst, wenn man die allegorischen Züge der Ballade erkennt. Denn bereits die erste Strophe läßt deutlich werden, daß es sich hier nicht eigentlich — und gewiß nicht in dem konkreten Sinne wie bei Goethe und Brecht — um eine Dirnen-Ballade handelt.

> Ich kenn' ein Haus, ein Freudenhaus,
> Es hat geschminkte Wangen,
> Es hängt ein bunter Kranz heraus,
> Drin liegt der Tod gefangen.

Schminke, Flitter, und dahinter der Tod — das erinnert entfernt an Darstellungen der „Frau Welt". „Freudenhaus" kann verstanden werden als allegorisches Bild für das irdische Dasein mit seinen Nichtigkeiten, Begierden und Scheinfreuden, für die Welt der Sünde und deshalb des Todes. Ihm entgegen steht die Einsiedler-Hütte, Bild des Ortes der inneren Einkehr, die bereitmacht für den Augenblick, wo „Jesus richtend bricht die Nacht". Die „Nacht" hat ihre Antithese im Bild des Lichts, mit dem die Ballade schließt. Christi Blut

> Das macht uns rein und klar und pur,
> Daß wir zum Lichte wallen!

Das „wir" des Schlußverses führt den Vorgang auf jenen Gedanken zurück, den die Allegorie umschrieb, es läßt rückwirkend das Leben im „Freudenhaus" oder in der „Hütte" als allgemeine Daseinsmöglichkeiten erscheinen.

Freilich werden wir uns vor Vereinfachungen hüten, die gerade jene Sinnmannigfaltigkeit wiederaufheben, auf welche die Interpretation zuvor gestoßen ist. Der balladische Vorgang erschöpft sich nicht in allegorischer Bilderfolge, die durch Bedeutungsgleichungen aufzuschließen wäre. Nicht zuletzt die Verschränkung von lyrischer und erzählerischer Aussage, der Ausdruck des Ich-Erlebens, verhindert die Sinnverfestigung der Bilder.

Aber Brentanos Gedicht kann als beispielhaft gelten für eine Neigung zur allegorisierenden Ballade, die in der späteren Romantik auch sonst zu beobachten ist. So verschlüsselt Eichendorff in seiner umfangreichsten Romanze, „Die wunderliche Prinzessin" (Erstdruck 1815, im Roman „Ahnung und Gegenwart"), den Sinn in einem allegorischen Geschehen, dem — wie Rudolf Haller gezeigt hat[40] — einer der zentralen Gedanken der Romantik, das Thema der Verbindung von Poesie und Leben, der Poetisierung des Lebens, zugrunde liegt. Verbinden sich in Eichendorffs Figur der wunderlichen Prinzessin Züge der Lorelei und des Märchenmotivs der verwunschenen Prinzessin, so benutzt Uhland den Dornröschenstoff zu einer allegorisierenden Darstellung der deutschen Poesiegeschichte in seiner Ballade „Märchen" (1811). Im Gegensatz zu der Eichendorffschen bietet die Uhlandsche Ballade kaum Verständnisschwierigkeiten; die Beziehung zwischen Bild- und Bedeutungsbereich ist immer einsichtig — allzu einsichtig vielleicht. Und mit einem weitaus optimistischeren Ausblick schließt Uhland; bleibt in der Romanze Eichendorffs das Ziel der Poetisierung des Lebens unerreicht, so hat die Schlußvision Uhlands stark endzeitlichen Charakter. Die Ballade ist aufschlußreich für das Selbstverständnis Uhlands und der jungen Generation um 1810. Was Herder noch als Forderung formulierte, das sieht man jetzt vollendet. Die Wiedereroberung der mittelalterlichen und der Volksdichtung, die Rückversenkung in die Ritterwelt, und die Renaissance dieser Epoche in der eigenen Dichtung werden als Wiedergeburt der Poesie überhaupt empfunden. Man fühlt sich in einer „goldnen Früh", inmitten eines neuerrichteten goldenen Zeitalters der Poesie.

In Eichendorffs Romanzenwerk ist der Anteil von Gedichten groß, die ganz von einer lyrischen Grundstimmung her aufgebaut sind und die Grenze zum Lied hin überschreiten. Wo es zur Ausformung eines Geschehens kommt, begegnen zumeist vertraute und von Eichendorff gleich mehrfach variierte Motive. Vorherrschend ist das Liebesthema; Naturmagie und Liebeszauber verbinden sich in den Abwandlungen der Lorelei-Gestalt (z. B. in „Waldgespräch", „Die Zauberin im Walde" oder „Der verirrte Jäger"). Eine Reihe von Romanzen schließt sich an die Tradition der Wiedergänger-Balladen an (etwa „Der Reitersmann" oder „Die verlorene Braut"). Mit Goethe wetteifert Eichendorff im „Schatzgräber" (1. Druck 1834); wie eine geheime Korrektur der Goetheschen Ballade gleichen Titels liest sich die Romanze. Wo dort ein klassizistischer Genius dem Schatzgräber mit einer goldenen Lebensmaxime den Weg aus seinen Verstrickungen zeigt, läßt sich hier der Verblendete vom Gesang der Engel Gottes nicht leiten und fällt der Gewalt des Bösen anheim. Ungleich härter wird Gericht gehalten über die Verbindungen zur schwarzen Magie. Insofern ist „Der Schatzgräber" kennzeichnend für Eichendorffs Balladen seit 1833: bestimmend werden die religiöse Thematik und Sinngebung. Der Verzicht auf den Apparat der *nordischen* Ballade schafft Voraussetzungen für die *legendenhafte* Ballade, deren Möglichkeiten Eichendorff am reinsten in der Romanze „Vom heiligen Eremiten Wilhelm" (nach 1839 entstanden) wahrnimmt.

Für Ludwig Uhland ist die Ballade d i e Gattung, in der sich seine dichterischen und seine gelehrten germanistischen Neigungen begegnen dürfen. Der Erforscher mittelhochdeutscher Dichtung und mittelalterlicher Welt ergreift die historische Ballade als gemäße Form. Dabei geht die dichterische Absicht offensichtlich auf mehr als darauf, die geschichtliche Vergangenheit Deutschlands, vor allem der schwäbischen Heimat, bewußt zu machen. Die letzte Zeile aus den schon zitierten Eingangsstrophen zu „Graf Eberhard der Rauschebart" (1815): „Brich auch durch unsre Zeiten mit hellem Schwertesklang!" macht es deutlich. Wirkungsziel der Ballade ist eine Leidenschaftserweckung, wie sie schon Herder im Ossian-Aufsatz umschrieben hatte: „durch Bild und Feuer" „Lehre und Tat auf einmal in Herz und Seele" werfen. Es gilt zu bedenken, daß ein Großteil der historischen Balladen Uhlands zur Zeit der Freiheitskriege entsteht und daß die Erstarkung des Nationalbewußtseins in den ersten Jahrzehnten des 19. Jahrhunderts mit dem inneren Widerstand gegen die napoleonische Besetzung Deutschlands unlöslich verknüpft ist. Widerstandskräfte durch tatstärkende Vorbilder der eigenen nationalen Vergangenheit zu wecken — diesem Wirkungsziel unterwirft sich nicht nur die Ballade. Auch auf dem Hintergrund der Freiheitskriege also hat man die Versenkung in die eigene Geschichte und die Verherrlichung der reckenhaften Gesinnung alter Helden zu sehen. Dennoch löst sich die Heroisierungstendenz schon von ihrem zeitgeschichtlichen Anlaß und bindet das erstarkende Nationalbewußtsein an Attribute des Heldentums, denen gegenüber gebührender historischer Abstand angemessen gewesen wäre. Von dem Schwertgerassel, das durch die historischen und die Heldenballaden des 19. Jahrhunderts tönt, führt zwar keine kausale, wohl aber eine sinngesetzliche Linie zu jenem Auftreten Wilhelms II., das man das säbelrasselnde genannt hat. Im übrigen mag vieles von dem Forcierten in der Wiederbelebung und Aneignung der eigenen Geschichte seinen Grund darin haben, daß die Deutschen weit später als andere Kulturnationen (als Frankreich oder England) zu ihrer nationalen Einheit finden, daß sie eine — mit Helmuth Plessner zu sprechen — verspätete Nation[41] sind.

Bei Uhland hat die historische Ballade noch nicht das Bramarbasierende späterer Heldenballaden; in seiner Darstellung ist auch dem Gemüthaften und Humoristischen ein Platz eingeräumt. Zudem meidet der liberale Bürgerliche, der Tüchtigkeit nicht nur als das Privileg Weniger, sondern als eine allgemeine Tugend verstanden wissen möchte, die großen Entscheidungsstätten der Geschichte zugunsten der Randsituationen, in denen Heldisches auch in seinen Bedingtheiten sichtbar wird.

Sehr lange hält der Elan, mit dem sich Uhland um die Vergegenwärtigung des deutschen Mittelalters in der Ballade bemüht, ohnehin nicht vor; die Antriebe, die vom mächtig entfachten Nationalgedanken ausgingen, erlöschen bald. In den Balladen, die 1829 und 1834 nach einer fast anderthalb Jahrzehnte währenden Pause entstehen, findet eine bemerkenswerte Ernüchterung ihren Ausdruck. Das Interesse des Dichters richtet sich auf Überzeitliches und bewegt sich teilweise jenseits des Nationalen; die politische Enttäuschung des nationalbewußten und freiheitlich gesinnten Liberalen in der Restaurationszeit spiegelt sich hier.

Uhlands Erprobung von Formen der *legendenhaften* Ballade fällt (anders als bei Brentano und Eichendorff) in die frühe Schaffensperiode und bleibt — sehen wir von Ansätzen in „Bertran de Born" (1829) ab — auf die Jahre seines Aufenthalts in Paris (1810/11) beschränkt; sie ist eine Frucht der Beschäftigung mit romanischer Literatur. Unter seinen „Altfranzösischen Gedichten" steht die „Legende", eine Erzählung (von einem Marienwunder) in Reimpaarversen, die in ihrer Schlichtheit an Goethes „Legende" erinnert, ohne allerdings deren humoristische Heiterkeit zu teilen. Aus dem „König Wamba" von Lope de Vega ist die Legende „Sankt Ildefons" übertragen, wie auch eine spanische Legende die Fabel für die Ballade „Casilde" liefert (eine gute Absicht und eine fromme Lüge werden durch ein Wunder gedeckt). Für beide Gedichte [42] übernimmt Uhland den Vers und die Strophe der spanischen Romanze, zu der schon Herder im „Cid" gegriffen hatte und die in der Romantik — vor allem in Brentanos „Romanzen vom Rosenkranz" — zum bedeutenden lyrischen Formmodell wird. Auch Heine benutzt die Romanzenstrophe mehrfach, und selbst im Berliner „Tunnel über der Spree" erhält sich eine Neigung für die spanische Romanze, bis Strachwitz und Fontane die Chevy-Chase-Strophe durchsetzen.

Hatte schon Uhland einen Großteil seiner Balladengestalten der schwäbischen Geschichte entnommen, so verstärkt sich die Hinwendung zu heimischen Stoffen bei zwei anderen Vertretern der schwäbischen Romantik: Justinus Kerner und Gustav Schwab. Was sich bei Uhland im gemüthaft humoristischen Ton andeutet, gerät bei ihnen nicht selten ins Gemütlich-Hausväterliche und Idyllische. Ihrer unermüdlichen Suche nach Stoffen dient — bei Schwab fast ausschließlich — das Gebiet der heimischen Sage als Reservoir.

Eduard Mörike ist der Romantik nicht mehr zuzuordnen; seiner engen Beziehung zur Schwäbischen Schule wegen mag er aber hier seinen Platz finden. Gegenüber dem voluminösen Balladenwerk Kerners und erst recht Schwabs bleibt das seine sehr schmal, es umfaßt kaum ein Dutzend Balladen — Nebenfrüchte seines lyrischen Werks. Geht man von den Motiven aus, wirken sie eher konventionell; fast alle scheinen die Tradition der naturmagischen und der Geisterballade fortzusetzen. Aber gerade bei Mörike ist wenig mit der Klassifizierung einer Dichtung nach ihrem Stoff gewonnen.

Den Rang der Balladen Mörikes kann ein Vergleich der „Traurigen Krönung" mit Kerners „Die traurige Hochzeit" (1813 gedr.) erläutern; beide Balladen haben in der äußeren Situation, im Ablauf und Ausgang des Geschehens manches gemein. Unverkennbar ist in Kerners Gedicht der Einfluß des „Wunderhorns". Die aus einem einfachen Reimpaarvers bestehenden Strophen, die schlichte Diktion, Parallelismen und Anaphern, der dreifache Gebrauch des Zahlworts Zwölf, die Einfügung des formelhaften Füllworts „wohl" — alles dies sind Stilzüge auch der Volksballade. Selbst den Verzicht auf die Begründung des Geschehens möchte man als ein von der Volksballade übernommenes Merkmal gelten lassen, wenn nicht am Ende der Leser mit der Frage, warum das Brautpaar tot am Hochzeitstisch zurückbleibt, so gänzlich allein gelassen würde. Die Festrunde, die bleiche Braut, der goldene Becher, der Harfner, der Tanz der Gäste, die gesprungene Harfe und schließlich das gespenstische Dasitzen der Toten — das sind zwar vertraute, aber lediglich aneinandergestückte Motive, die sich zu keinem sinnvollen Zusammenhang fügen. Nicht um Geheimnisvolles, um das „Mysteriose", das Goethe der Ballade zuschreibt, auch nicht um Verrätselung handelt es sich hier, sondern schlechtweg um künstlerische Unzulänglichkeit und um die Entleerung der Schauerballade.

Mörikes Beschwörung der Geisterwelt hat nichts Bedrängendes oder gar Erschreckendes. Die stille, sanfte Macht seiner „musikalischen" Sprache, seines Einsatzes schon, macht den Leser willig, sich auf eine märchenhafte oder naturmythische Sicht des Dichters einzulassen. Ganz unverfänglich, einladend, suggestiv beginnen die Balladen. „Es war ein König Milesint, / Von dem will ich euch sagen" („Die traurige Krönung"[43]). Oder: „Gott grüß dich, junge Müllerin! / Heut wehen die Lüfte wohl schön?" („Die schlimme Greth und der Königssohn"[44]). Oder:

Vom Berge was kommt dort um Mitternacht spät
Mit Fackeln so prächtig herunter?
Ob das wohl zum Tanze, zum Feste noch geht?
Mir klingen die Lieder so munter.

(„Die Geister am Mummelsee" [45])

Behutsam und unmerklich wird der Leser in die Balladenwelt eingeführt; die Gedichtanfänge verhüllen die Form der Geister- oder der naturmagischen Ballade, ja der Ballade überhaupt.

Wie in Kerners Gedicht beherrscht in Mörikes „Die traurige Krönung" (1828 entst.) am Ende des Geschehens Totenstille den Festsaal; und die Eindeutigkeit, mit der die letzte Zeile den Tod des Thronräubers konstatiert, gibt dem Schluß eine Härte, die in der Ballade „Die Geister am Mummelsee" (Erstdruck 1829) vermieden ist. Doch eignet diesem Ausgang nichts von der Leere des Schluß- und Überraschungseffekts der Kernerschen Ballade. Der König Milesint wird in einer Situation gezeigt, in der sein Gemüt für die übersinnliche Erscheinung besonders empfänglich ist. Die Leere des Saals nach dem rauschenden Krönungsfest wirft ihn auf sich selbst zurück; er blickt „irr' in all die neue Pracht". Dem Schuldgefühl (er „meuchelte sein Bruderskind, / Wollte selbst die Krone tragen") entspringt eine Unsicherheit, die das Verlangen nach erneuter Bestätigung seines Königtums weckt. Sein Ruf nach der Krone aber ist zugleich Hervorrufung der unaustilgbaren Vergangenheit, die nun aufsteht in der Vision eines unheimlichen Zuges vermummter Gäste, aus deren Mitte sich das ermordete Kind löst, die Krone zu reichen „Dem Könige, des Herze tief erschrickt". Die Begegnung mit dem Toten wirkt tödlich.

Man erkennt in der Heimsuchung des Mörders durch den Geist des Opfers ein gewiß herkömmliches Motiv — doch ist es hier so sehr in den seelischen Vorgang verknüpft, daß das „seltsam Totenspiel" auch als eine Vergegenständlichung innerer Gesichte gedacht werden kann. Natürlich würde die psychologische Deutung wesentliche Dimensionen des Gedichtes verfehlen; aber daß sie als Möglichkeit nicht gänzlich ausgeschlossen bleibt, bereichert noch die Sinnvielfalt dieser Dichtung und gibt ihr die relative Modernität. (Ähnliches gilt ja auch für Goethes „Erlkönig".) Deshalb haben jene Interpreten nicht recht, die im

Namen einer unreflektierten Mythologie und Sagenwelt jeglichen psychologischen Frageansatz verwerfen: sie fallen hinter die Bewußtseinsstufe des Dichters selbst zurück.

Wenden wir uns noch einmal dem Anfang der Ballade zu:

> Es war ein König Milesint,
> Von dem will ich euch sagen ...

Der Anklang an die Eingangsformel des Märchens ist unüberhörbar, auch wenn das Gedicht dadurch nicht zur Märchenballade wird. Zwar könnten einige Züge in anderem Zusammenhang zu Märchenzügen werden: die Figur des bösen Königs, die schließliche Wiederherstellung der moralischen Ordnung. Doch zu stark setzt sich die Überlieferung der Geisterballade durch. Was indessen die märchenhafte Eingangsformel zu leisten vermag, ist Einstimmung des Lesers (besser Hörers) in eine Haltung, wie sie dem Märchen gegenüber angemessen ist. Und hat auch der Erzähler, wie sich bald herausstellt, die Rolle des Märchenerzählers nur fingiert, so bleiben doch die Eingangsverse eine Art Vorspruch, durch den die Ballade als Ballade relativiert wird.

Eindeutiger zum Märchen hinüber neigt „Die schlimme Greth und der Königssohn" (1. Fassung 1828, mehrfach umgearbeitet). Sieben Strophen umfaßt der Eingangsdialog zwischen dem landflüchtig umherirrenden Königssohn und der jungen Müllerin, die ihn in ihr Haus lädt. Diese beherrschende Stellung des Dialogs weist auf ein Stilmittel der Volksballade. An das Volkslied erinnert auch die Strophenform; untergründig schwingt der Ton der Lieder aus „Des Knaben Wunderhorn" mit:

> Der Königssohn mit Freuden
> Ihr folget in ihr Haus;
> Sie tischt ihm auf, kein Edelhof
> Vermöchte so stattlichen Schmaus:
>
> Schwarzwild und Rebhuhn, Fisch und Met;
> Er fragt nicht lang' woher.
> Sie zeigt so stolze Sitten,
> Des wundert er sich sehr.

Auf das Tischlein-deck-dich-Motiv wird angespielt; aber was die beiden letzten Verse schon andeuten, bestätigen die nächsten

45

Strophen: in die Märchenthematik dringt jenes Motiv ein, das wir das Lorelei-Motiv nennen dürfen. Was nun zu erwarten ist, wird durch die vielen Varianten der Lorelei-Sage vorgezeichnet: der Gang des Prinzen ins Verderben. Der Ausgang der Ballade entspricht solchen Erwartungen. Doch nicht daß, sondern wie der Königssohn ins Unheil gezogen wird, ist hier entscheidend.

> Sie blitzt ihn an wie Wetterstrahl,
> Sie blickt ihn an so schlau:
> „Du lügst in deinen Hals hinein,
> Du willt kein' Hex' zur Frau.
>
> „Du willt dich von mir scheiden;
> Das mag ja wohl geschehn:
> Sollt aber von der schlimmen Greth
> Noch erst ein Probstück sehn." —

An der Darstellung dieses „Probstücks" vor allem offenbart sich Mörikes Eigenständigkeit gegenüber der geläufigen Behandlung des Stoffs. Denn nun macht sich eine humoristische Sicht des Erzählers frei; nun rollt eine Vorstellung von Zauberkunst-stücken ab, die man allenfalls im Märchen, nicht aber in der naturmagischen Ballade erwartet. Zunächst erschreckt die Zau-berin den Königssohn als „Windesbraut", dann mit zwei Rühr-löffeln; sie zieht Nebel zum Fenster herein und treibt seltsame Spiele damit; schließlich ruft sie Geistervolk herbei und läßt den Prinzen „als ein Wickelkind" durchs Fenster hinwegtragen, „fort bis wo der Pfeffer wächst". Nicht als eine dämonische „Hexe", sondern als eine verspielte, alle Register ihrer Zauberkunst ziehende Magierin erscheint hier die schlimme Greth. Zu ihrem Spiel gehört es auch, daß sie den Prinzen — auf einem „See-gestad" — noch einmal in Sicherheit wiegt und ihn Liebesfreuden kosten läßt. Zum Schluß freilich bricht das märchenhafte in das verhängnisvolle Geschehen um: das verführerische, dämonische Elementarwesen — hier ein Dämon des Windes, der Luft, des Nebels — tötet den Menschen, der in seinen Zauberkreis ge-raten ist:

> Sie drückt ihn an die Brüste,
> Der Atem wird ihm schwer;
> Sie heult ein grausiges Totenlied
> Und wirft ihn in das Meer.

Aber selbst in diesem Bericht vom furchtbaren Ende stellt die Form der Aussage, eine leichte Übertreibung, einen merklichen Abstand zum Inhalt der Aussage her. Und nun erinnern wir uns der Entführung des Prinzen ins Land, „wo der Pfeffer wächst". Die Redensart kann sowohl ein „irgendwo" als ein „nirgendwo" umschreiben. Und wir dürfen die Umschreibung als eine erzählerische Gebärde deuten, die schon vorweg beruhigt über das, was folgen wird.

So wählt Mörike eine subtile Form der Distanzierung. Zwar behauptet sich am Ende des Gedichts die naturmagische Ballade gegen das Märchen und setzt den verhängnisvollen gegen den moralisch befriedigenden, glücklichen Schluß durch. Doch dieses unheimliche balladische Geschehen vollzieht sich in der Orts- und Zeitenthobenheit der Märchenwirklichkeit. Die darin beschlossenen Stildivergenzen werden auf einer neuen Ebene des Sprechens, werden in einem humoristischen Ton versöhnt. Zur ironischen Aufhebung kommt es nicht — solche Möglichkeit aber nimmt Heine wahr.

3. Heinrich Heine

Beurteilt man Heine nur nach den Romanzen, die in Lesebücher aufgenommen worden sind, so scheint seine Balladendichtung — trotz des spezifisch Heineschen Stils — in verhältnismäßig traditionellen Bahnen zu verharren. Der Eindruck täuscht. In Deutschland ist Heine vor allem mit Balladen der frühesten Schaffenszeit durchgedrungen: etwa mit den „Grenadieren", „Belsatzar" oder der „Wallfahrt nach Kevlaar". Sie alle sind, obwohl vorher veröffentlicht, in seiner beliebtesten Gedichtsammlung enthalten: im „Buch der Lieder" von 1827. Erst die späteren Romanzen aber offenbaren die Spannweite von Heines Balladenwerk.

Das Schaffen minderer Dichter wie Kerner, Schwab oder de la Motte-Fouqué hat den fragwürdigen Vorzug, von rasch bestimmbarer Einheitlichkeit zu sein. Heines Romanzen schließen sich zu einem vielgliedrigen und vielschichtigen Ganzen zusammen, das in sich wesentliche Phasen der deutschen Balladengeschichte wie in einem Brennpunkt zusammenzuziehen scheint. Bei keinem Dichter des 19. Jahrhunderts verzweigt sich das Balladenwerk so sehr in die Formenwelt der Tradition wie der künftigen Dichtung hinein. Bei ihm sind noch — und hierin ist er nur Goethe, Brentano und Mörike vergleichbar — Elemente der Volksballade lebendig, werden aber andererseits schon Elemente faßbar, die erst bei Brecht wiederbegegnen. Keiner besitzt ein solches Organ für das Vergangene wie das Künftige. Und dennoch ist Heine nicht der Eklektiker, der die Früchte der Überlieferung nur sammelt und Gefälliges sich auswählt — wie er zum anderen seinen Rang nicht als bloßer Vorläufer hat. Sowohl als Erbe wie als Wegbereiter wird er seiner geschichtlichen Situation gerecht. Um der Epigonalität — dem Schicksal so vieler Zeitgenossen — zu entgehen, konnte er sich die Tradition nur in Brechungen aneignen (was nicht sie aufgeben heißt). Der in die Ballade eingestaltete Bruch mit der Tradition wiederum schafft Voraussetzungen für die Vorwegnahme künftiger Formen. Heines Dichtung ist in der Vielzahl der Brechungen so schillernd wie die historische Situation, in der er sich fand und die er deutlicher als alle seine Zeitgenossen erkannte, durchschaute. Das deutsche Publikum hat den romantisierenden Ton bei ihm geschätzt, ja geliebt. Er ist, nimmt man die Anzahl der Vertonungen zum Maßstab, um 1900 der beliebteste deutsche Liederdichter. Ignoriert oder verurteilt aber hat man jene Dichtung, mit der er einer historischen Aufgabe entsprach: den Riß, der durch seine künstlerisch epigonale und politisch restaurative Zeit ging, nicht zu v e r decken, sondern a u f zudecken. Solche Desillusionierung hat ihm die deutsche Nation lange nicht verziehen. Und immer noch bleiben diesem Dichter gegenüber einige Verpflichtungen einzulösen. Immer noch ist der Widerspruch zwischen Heines Bedeutung in der Weltliteratur und seinem Platz in der deutschen Nationalliteratur zu groß.

Ein Entdeckungszug durch sein Romanzenwerk muß an den Lesebuchballaden rascher vorbeigehen. Daß „Die Grenadiere" zum literarischen Allgemeinbesitz wurden, ist paradox genug. Napoleonverehrung konnte weder nach den Freiheitskriegen noch im späteren 19. Jahrhundert mit Zustimmung oder gar nationalem Beifall rechnen. Aber das hohe Lied auf die Kaisertreue vermochte an ein Gefühl zu rühren, an dem alle politischen Gruppierungen in Deutschland teilhatten: an die deutsche Kaiser- und Reichssehnsucht. Schon in der Romantik ergreift diese nationale Sehnsucht die Barbarossa-Gestalt als ihr Symbol und die Kyffhäuser-Sage als ihre Mythe. Mit dem Wiedererwachen und der Wiederkehr des schlafenden Kaisers Barbarossa wird, so glaubt es die Sage, die alte Kaiser- und Reichsherrlichkeit neu erstehen; und nur Treue verbürgt solche Zukunft. Heines Ballade appelliert an die im eigenen Volk lebendigen Emotionen. Ihre Wirkung beruht auf dem geheimen Austausch und der Identifikation von Napoleon- und Barbarossa-Mythos.

Mit seinem alttestamentlichen Stoff (Daniel 5) neigt „Belsatzar" dem Modell der *nordischen* Ballade zu — und hieraus erklärt sich wohl zu einem guten Teil die Anhänglichkeit, die Generationen dem Gedicht bewahrt haben. Die wesentlichen Momente der unheimlich-nächtlichen Atmosphäre, die hier das bevorstehende

Verhängnis antizipieren, sind bereits im biblischen Text vorgeprägt.

Im übrigen ist Heine offensichtlich durch Lord Byrons „Vision of Belshazzar" angeregt worden. Aber die Wahl ebendieses Stoffes verrät doch die Gebundenheit des jungen Heine an die Balladentradition, wie sie andererseits bereits seine Abkehr von ihr ankündigt: noch bricht, wie in den Geister-, Schauer- und naturmagischen Balladen der Vorgänger, die übersinnliche in die empirisch erfaßbare Welt, aber an die Stelle der Geistererscheinung tritt das geheimnisvolle Menetekel. Die Geisterballade ist, wie wir sehen werden, für Heine nicht mehr annehmbar.

Erinnerungen an einen Düsseldorfer Mitschüler und dessen „Mirakel-Erzählung" haben, nach Heines eigenem Bericht, den Stoff geliefert für „Die Wallfahrt nach Kevlaar". Alle Kriterien weisen diese Romanze als eine *legendenhafte* Ballade aus. Sie erschien in zahlreichen Einzeldrucken und wurde vielfach in Zeitschriften und Anthologien aufgenommen. Sie fand aber auch den Weg in Andachtsbücher, und hier kann nur Mißverständnis ihr Eintritt verschafft haben. Denn in der Erzählung von dem jungen Mann, dessen Herz vor Liebesweh zu brechen droht und der sich mit seiner Mutter auf die Wallfahrt nach Kevlaar begibt, um von seinem Leiden geheilt zu werden, spielen Einstimmung in die Glaubensvoraussetzungen der Wallfahrer und ein Abrücken von der wundergläubigen Menge ineinander. Solches Zugleich und Gegeneinander von Einfühlung und Abwendung macht nicht die poetische Wahrheit des Berichteten, wohl aber die Eignung der Ballade als Erbauungsdichtung fragwürdig. Kaum streben hier die sprachlichen Mittel der Distanzierung nach völliger ironischer Aufhebung; doch eine gelegentliche, wohlwollende Ironie läßt Vorbehalte des Erzählers ahnen. Der Schluß der dreiteiligen Ballade birgt eine überraschende Wendung, wenn nicht gar eine Pointe: die Erlösung von der Seelenkrankheit, ersehnt als eine Heilung zum Leben, erfüllt sich als eine Erlösung zum Tode. Und doch wird auch die Pointe wieder abgefangen durch die demutsvolle Ergebung der Mutter, durch ihre widerspruchslose Hinnahme des als Schickung empfundenen Schmerzes. So gibt die Ballade ein Beispiel gelebten christlichen Glaubens und Wunderglaubens, wobei der Dichter durch subtile Mittel der Distanzierung den fiktionalen, poetischen Wirklichkeitscharakter des Geschehens bewußt macht. Zwar wird volksläufige katholische Glaubenspraxis nicht angetastet, aber die Ballade kann einem religiösen Gefühl nicht als legendenhafte Bezeugung tatsächlicher Wundertätigkeit dienen. Die poetische Überzeugungskraft des Gedichtes ist nicht mit religiöser Überzeugungskraft identisch.

Wir nehmen die Frage nach Heines Verhältnis zu einer spezifischen Ausprägung der *nordischen* Ballade, der Geister- und Gespensterballade, wieder auf. Die Konvention gibt sich noch zu erkennen in der Romanze „Zwei Brüder", der eine rheinische Ortssage zugrunde liegt: Die Brüder, die um die Gunst einer Gräfin rivalisierten, haben einander in einer Nacht getötet.

> Viel Jahrhunderte verwehen,
> Viel Geschlechter deckt das Grab;
> Traurig von des Berges Höhen
> Schaut das öde Schloß herab.

> Aber nachts, im Talesgrunde,
> Wandelts heimlich, wunderbar;
> Wenn da kommt die zwölfte Stunde,
> Kämpfet dort das Brüderpaar. [46]

Man überhört nicht das „wunderbar". Alles Grausige bleibt fern. Das Gespenstische wird vertraulich, es ist gezähmt. So wird die konventionelle Gespensterballade noch bemüht, aber sie ist entdämonisiert.

Auch das Wiedergänger-Motiv greift Heine auf, in der Romanze „Don Ramiro"; und auch hier erweist sich die Bindung an die Tradition zugleich als ihre Überwindung. Die Wiederkehr des soeben Verstorbenen wird als Sinnestäuschung enthüllt. Immerhin sollte sich die Deutung Vorsicht auferlegen. Denn erhalten bleibt das rational Unauflösbare: die visionäre Erahnung des Todes Don Ramiros, des geladenen, aber abwesenden Gastes.

Weniger zurückhaltend verfahren andere Romanzen im „Buch der Lieder" mit den konventionellen Motiven der *nordischen* Ballade. Der Bruch mit der Überlieferung schlägt um in die Parodie. Diese Form ist mit jener burlesken Romanze vor Bürger, in der ein ernsthafter Gegenstand komisch umspielt wird, nicht zu verwechseln. Denn hier wird nicht ein bestimmter

Inhalt ironisiert, sondern eine zum Klischee gewordene Motivik im Spott vernichtet. So sind „Die Fensterschau" und das „Lied der Gefangenen" Parodien auf die Gespenstervorstellung bzw. auf jene Varianten des Hexentypus, welche die Welt der romantischen Ballade bevölkern.

Um wieviel subtiler Heines Form der Distanzierung sein kann, zeigen Romanzen der 1844 — nach jahrelanger Verzögerung — erschienenen Sammlung „Neue Gedichte". Die Tendenz zur Entdämonisierung und Entzauberung ist auch in zwei Romanzen wirksam, die in der Nachfolge der sog. Nixenlyrik der Romantik stehen; dennoch enthält sich Heine hier der Parodie. Er knüpft sogar wieder an Volkslied und Volkssage an, einmal an ein von Wilhelm Grimm übersetztes dänisches Volkslied, das andere Mal an die Geschichte vom „Tanz mit dem Wassermann" aus den „Deutschen Sagen" der Brüder Grimm. Freilich kommt witzige Desillusionierung zustande durch die völlige Anthropomorphisierung der Nixenwelt. Stellt sich der Kontrast von übersinnlicher und alltäglich-sinnlicher Sphäre in der Romanze „Die Nixen" immerhin noch im Zusammenspiel der Elementargeister und des Menschen her, so in der „Begegnung" [47] im unvermuteten Aufeinandertreffen der Elementargeister selbst.

> Wohl unter der Linde erklingt die Musik,
> Da tanzen die Burschen und Mädel,
> Da tanzen zwei, die niemand kennt,
> Sie schaun so schlank und edel.

Der gemeinsame Tanz macht auch die wechselseitige Erkennung unvermeidlich. Das Fräulein erkennt den Junker als den Wassermann, der die Schönen des Dorfes zu verlocken trachtet; er erkennt sie an ihrem „spöttischen Knixe" als sein eigenes „Mühmchen, die Nixe".

> Die Geigen verstummen, der Tanz ist aus,
> Es trennen sich höflich die beiden.
> Sie kennen sich leider viel zu gut,
> Suchen sich jetzt zu vermeiden.

Die Welt des Volksliedes, des Märchens, der Sage enthüllt sich als eine längst nicht mehr naive Welt; und in der gegenseitigen Erkennung der Wassergeister durchschaut sie sich selbst. Die

Desillusionierungsabsicht des Dichters schafft sich ihr Organ in der Selbstentzauberung der Elementargeister. Der Leser aber ist aufgefordert, den Prozeß der Demaskierung noch einmal fortzusetzen. Denn gerade durch die Art der wechselseitigen Entlarvung und durch ihren Habitus verraten sich die Figuren als das, als was sie sich ausgegeben haben: als Junker und Fräulein, als zwei Gesellschaftsmenschen. Die scheinbare Entlarvung ist in Wahrheit eine Maskerade, die nach endgültiger Demaskierung ruft. Was sich hier beim Dorftanz unter die Burschen und Mädchen mischt, sind nicht mehr Elementar- und Zauberwesen, wie noch in Volkslied und Sage, wie in der romantischen Dichtung, sondern zwei menschliche Abenteurer der Liebe. Und nun darf die Deutung ins Allgemeine gehen. Das Zauberwesen der Romantik wird als das durchsichtig, was früheren Jahrhunderten das Schäferwesen war: als ein literarisches Kostüm. So jedenfalls darf man die Romanze sehen, denkt man an die zeitgenössischen Epigonen, in deren Dichtung die Bestandteile der romantischen Zauberwelt unreflektiert erscheinen, aber auch zu Requisiten erstarren.

Daß Heine in der Überholung der Tradition weder der Parodie noch der Ironie bedarf und daß es in der Vielfalt seiner Ausdrucksmöglichkeiten auch den herben, ungebrochenen Balladenton gibt, dafür mag als Zeugnis die Romanze „Ritter Olaf" stehen. Die heimliche Liebesverbindung des Ritters Olaf mit der Königstochter wird durch die Trauung legitimiert, aber nach dem Willen des Königs hat Olaf am Tage der Hochzeit sein Leben verwirkt; die Liebenden werden auf immer getrennt. Vom ersten Geschehensaugenblick an, mit dem die Romanze bekanntmacht, hängt gleichsam das Beil des Henkers über Olaf. Drei metrisch-rhythmisch unterschiedene Teile (der spanische Romanzenvers ohne Assonanz im ersten, fünfzeilige Strophen mit Refrain im zweiten, Volksliedstrophen im dritten Teil) führen drei verschiedene Situationen Olafs vor. In der ersten bittet er, beim Verlassen der Kirche, um Aufschub der Hinrichtung, die zweite zeigt ihn während des Hochzeitsfestes und -tanzes und die dritte im Angesicht des Todes. Das Warten des Henkers, die dauernde Gegenwart des Todes macht im Mittelteil der Refrain bewußt; alle Strophen schließen mit der Zeile „Der Henker steht vor der

Türe". Vor solchem Hintergrund, bei immer drohender werdendem Stundenschlag des Lebens, gewinnt das beklemmende Fest mit Tanz und letztem Gespräch der Liebenden eine kaum noch zu verdichtende Unheimlichkeit. Aber wie weit entfernt ist dies von allen forcierten, gequälten Ungeheuerlichkeiten so mancher Schauerballade. Denn der Refrain leistet mehr als die Versinnlichung des immer drängenderen Rufs zum Tode; er bewährt hier seine lyrische Kraft. Das Motiv der Todesverfallenheit wird eingänglich, es wird erfüllt mit einer — der Ausdruck ist erlaubt — herben Süße, die noch einmal die romantische Weise von Tod und Liebe beschwört. Davon überzeugt auch der Schlußteil der Romanze: Während schon das Totengebet gesprochen wird und der Henker „vor dem schwarzen Blocke" harrt, steigt Olaf in den Hof hinab und nimmt Abschied, Abschied mit einer Segensgebärde. An dieser Stelle des Gedichts lehnt sich Heine unmittelbar ans Volkslied an, an eine Segensformel, wie sie etwa im Volkslied „Der Graf bei dem Brunnen" begegnet[48]:

> „Ich segne die Sonne, ich segne den Mond,
> Und die Stern, die am Himmel schweifen.
> Ich segne auch die Vögelein,
> Die in den Lüften pfeifen.
>
> „Ich segne das Meer, ich segne das Land,
> Und die Blumen auf der Aue.
> Ich segne die Veilchen, sie sind so sanft
> Wie die Augen meiner Fraue.
>
> „Ihr Veilchenaugen meiner Frau,
> Durch Euch verlier ich mein Leben!
> Ich segne auch den Holunderbaum,
> Wo du dich mir ergeben." [49]

Im Stoff lag auch der Ansatz zur bänkelsängerischen Moritat, zur Schauer- oder sogar zur Heldenballade. Von allen Extremen hält sich Heine gleich fern. Der Name des Ritters spielt auf den nordländischen Sagenkreis an; und die Schroffheit in der Haltung des Königs, die düstere Situation, das Unheimliche des Hochzeitsfestes — alles weckt ähnliche Assoziationen. Man ist geneigt, „Ritter Olaf" eine der besten unserer *nordischen* Balladen zu nennen. Prüfen wir aber genauer, was diese Romanze so annehmbar macht, so sind es gerade jene Elemente, die sich solcher Zuordnung widersetzen. Nichts findet sich in der Haltung der Hauptfigur von der auffahrenden, kämpferischen, trotzenden Haltung, wie sie das Heldenlied und die *nordische* Ballade kennen. Olafs Gelassenheit vor dem Tode rührt von einer Seelenstärke her, die auch zur Vergebung bereit und fähig ist; nur so wird die segnende Schlußgebärde möglich. Seine Gebärdensprache ist nicht die der *nordischen*, sondern die der *legendenhaften* Ballade.

Das 1. Buch des 1851 erschienenen „Romanzero" umfaßt die „Historien". Zumindest ein Teil von ihnen ist als Heines Beitrag zur historischen Ballade des 19. Jahrhunderts zu betrachten — als ein sehr eigenwilliger Beitrag freilich, weil ihnen aller Geist des Historismus fremd ist. Den welthistorischen Augenblick, da zum erstenmal ein Parlament das Gesetz der Unantastbarkeit des Königs bricht und das Prinzip der modernen Demokratie den Glaubensgrundsatz vom Gottesgnadentum der Fürsten aufhebt, nimmt die Romanze „Karl I." zum thematischen Anlaß. Die legitimistische Auffassung, von der aus im 17. Jahrhundert Andreas Gryphius in seinem Trauerspiel „Carolus Stuardus" die Hinrichtung Karls I. von England im Jahre 1649 gedeutet hatte, wird man beim politischen Gegner der restaurativen deutschen Monarchien des 19. Jahrhunderts nicht erwarten. Andererseits enthält sich Heine jeglicher aufdringlichen retrospektiven Parteilichkeit. Er erfaßt gar nicht den welthistorischen Moment selbst, sondern vergegenwärtigt ihn als eine Vision Karls I. Und das mit einer sprachlichen Doppelbödigkeit und mit einer Kraft der bildlichen Darstellung, die diese „Historie" zu einem der künstlerisch stärksten politischen Gedichte Heines machen. Ein eigentliches Geschehen fehlt, es ist gerafft zur bedeutenden Situation. Aber wenn man immer wieder die schicksalhafte Begegnung als Wesenselement der Ballade bestimmt hat — hier ist sie gegeben: der englische König trifft auf seinen künftigen Henker. Ein gewiß konventionelles Motiv ist das Henkermotiv, vertraut seit den Tagen des Bänkelsangs, der Moritat; und auch bei Heine finden wir es mehrfach. Doch hier ist die Begegnung mit dem Scharfrichter die Begegnung mit einem Kind, einem Säugling; und die Vision des Königs von

seinem Tod hebt sich aus einem Wiegenlied. (Im ersten Einzel-
druck von 1847 hieß auch die Romanze noch „Das Wiegenlied".) Dissonanzen entstehen, tragisch-ironische Spannungen;
die unheimliche und groteske Atmosphäre droht zu zerreißen,
weil der visionäre Gegenstand und die Darbietungsform, das
Kinderlied, einander abzuweisen scheinen.

> Mein Todesgesang ist dein Wiegenlied —
> Eiapopeia — die greisen
> Haarlocken schneidest du ab zuvor —
> Im Nacken klirrt mir das Eisen.
>
> Eiapopeia, was raschelt im Stroh?
> Du hast das Reich erworben,
> Und schlägst mir das Haupt vom Rumpf herab —
> Das Kätzchen ist gestorben.
>
> Eiapopeia, was raschelt im Stroh?
> Es blöken im Stalle die Schafe.
> Das Kätzchen ist tot, die Mäuschen sind froh —
> Schlafe, mein Henkerchen, schlafe![50]

Das Bild des Wiegenliedes — „Das Kätzchen ist tot, die Mäus-
chen sind froh" — wird durchsichtig als Metapher für den welthistorischen Vorgang.

Auf „Karl I." folgt im Romanzero „Maria Antoinette"[51], auf
die „Historie" zur englischen die zur französischen Revolution.
Eindeutig und bewußt knüpft Heine hier an die Form der Gespensterballade an, doch bringt das Gedicht die einschneidendste
Umprägung, die wir in der Geschichte dieser Balladenart beobachten können. Äußerlich sind noch die Attribute da, wie die
überlieferte Vorstellung sie kennt. Zugleich aber wird in der
übersinnlichen eine historische Welt vergegenständlicht; die Ge-
spensterwelt repräsentiert eine politisch-historische Epoche. Das
hat mit parodistischer Verwendung des Gespensterbegriffs (wie
in der frühen Romanze „Die Fensterschau") nichts zu tun. Denn
ganz entfällt die Absicht der Entdämonisierung. Das Ancien
régime ersteht zu makabrer Lebendigkeit im Gespensterreigen.

> Wie heiter im Tuilerienschloß
> Blinken die Spiegelfenster,
> Und dennoch dort am hellen Tag
> Gehn um die alten Gespenster.

> Es spukt im Pavillon de Flor'
> Maria Antoinette;
> Sie hält dort morgens ihr Lever
> Mit strenger Etikette.

Geputzte Hofdamen in Spitzen und Reifrock reichen der Königin nach zeremonieller Weise die Kleider; alle, auch die Königin, haben keinen Kopf. Die Vorstellung kopfloser Gespenster war nicht neu; Heine selbst mochte sie von bildlicher Darstellung im Düsseldorfer Schloß vertraut sein. Wieder aber wird das Bild mit historischer Wirklichkeit aufgefüllt.

> Das sind die Folgen der Revolution
> Und ihrer fatalen Doktrine;
> An Allem ist Schuld Jean Jacques Rousseau,
> Voltaire und die Guillotine.

Barer Zynismus scheint sich hier auszusprechen. Doch man mißverstünde die Romanze, wenn man sie für einen makabren Scherz über eine abgetane Welt ansähe. Denn so vergangen und ausgelöscht erscheint dem Dichter der Geist der Epoche nicht, die er in diese gespenstische Bildlichkeit bannt. Die Schlußstrophe deutet es an:

> Wohl durch die verhängten Fenster wirft
> Die Sonne neugierige Blicke,
> Doch wie sie gewahrt den alten Spuk,
> Prallt sie erschrocken zurücke.

Die makabre Szenerie ist dem Dichter Bild für den in Europa, in Deutschland immer noch wirksamen Geist des Ancien régime, der Epoche vor der bürgerlichen Revolution. So wird die Gespensterballade von Heine umgebildet für die poetische Darstellung beharrender politischer Kräfte.

Nur scheinbar also ist die Romanze eine „Historie". Historisches erweist sich als ein im Gegenwärtigen lauerndes Pandämonium. Dieser Gegenwartsbezug tritt nun rein in Erscheinung bei zwei Gedichten der Spätzeit, die uns als sozialkritische Balladen interessieren.

Im Zyklus „Gedichte / 1853 und 1854" steht „Das Sklavenschiff" [52], zu dem Bérangers „Le nègre et les marionettes" stoffliche Anregungen lieferte. Thema der Ballade ist der Neger-

handel, der, obwohl im größten Teil der Welt durch Gesetze
verboten, um die Mitte des 19. Jahrhunderts und später noch
unzählige Menschen in die Sklaverei führte.

> Der Superkargo Mynher van Koek
> Sitzt rechnend in seiner Kajüte;
> Er kalkuliert der Ladung Betrag
> Und die probabeln Profite.
>
> „Der Gummi ist gut, der Pfeffer ist gut,
> Dreihundert Säcke und Fässer;
> Ich habe Goldstaub und Elfenbein —
> Die schwarze Ware ist besser.
>
> „Sechshundert Neger tauschte ich ein
> Spottwohlfeil am Senegalflusse.
> Das Fleisch ist hart, die Sehnen sind stramm,
> Wie Eisen vom besten Gusse.
>
> „Ich hab zum Tausche Branntewein,
> Glasperlen und Stahlzeug gegeben;
> Gewinne daran achthundert Prozent,
> Bleibt mir die Hälfte am Leben.

Zum Eigentümer der Ladung tritt der Schiffschirurgus mit der
Hiobsbotschaft, daß die Sterblichkeit unter den Negern zu-
nimmt und daß man mehr Tote denn je den Haien zum Fraß
hat vorwerfen müssen. Der Skrupellosigkeit des Händlers steht
der Zynismus des Mediziners nicht nach:

> „Durch eigne Schuld
> Sind viele Schwarze gestorben;
> Ihr schlechter Odem hat die Luft
> Im Schiffsraum so sehr verdorben.
>
> „Auch starben viele durch Melancholie,
> Dieweil sie sich tödlich langweilen;
> Durch etwas Luft, Musik und Tanz
> Läßt sich die Krankheit heilen."

Der zweite Teil der Ballade zeigt die Schamlosigkeit der Sklaven-
händler auf ihrem Höhepunkt. Der Arzt hat als Prophylaktikum
gegen die Sterblichkeit Musik und Tanz verschrieben, und nun
stampfen auf dem nächtlichen, mit Laternen illuminierten Deck,

während aus der Tiefe die Rachen der Haifische gähnen, die Sklaven wie im bacchantischen Taumel.

> Die Fiedel streicht der Steuermann,
> Der Koch, der spielt die Flöte,
> Ein Schiffsjung schlägt die Trommel dazu,
> Der Doktor bläst die Trompete.
>
> Wohl hundert Neger, Männer und Fraun,
> Sie jauchzen und hopsen und kreisen
> Wie toll herum; bei jedem Sprung
> Taktmäßig klirren die Eisen . . .
>
> Der Büttel ist maître des plaisirs,
> Und hat mit Peitschenhieben
> Die lässigen Tänzer stimuliert,
> Zum Frohsinn angetrieben . . .
>
> Und Dideldumdei und Schnedderedeng —
> Es nehmen kein Ende die Tänze.
> Die Haifische beißen vor Ungeduld
> Sich selber in die Schwänze.

Das alles nimmt in Atmosphäre und Ton schon Brechts „Legende vom toten Soldaten" vorweg, jene groteske Vision, in der ein Gefallener — zu neuem Kriegsdienst wiedererweckt, von Schwestern und Sanitätern gestützt — sich hinter der Marschmusik herschleppt. Heines Wendung von den Haifischen, die sich selber in den Schwanz beißen, sollte nicht als schockierend ironische Wiederaufhebung des Dargestellten mißverstanden werden. Sie ist vielmehr sprachlicher Mitausdruck der dargestellten widersinnigen und enthumanisierten Welt selbst. Sie hält zugleich die emotionale Anteilnahme des Lesers in Schranken. Denn nicht Überwältigung, Erweckung von Mitleid angesichts des Martyriums der Sklaven strebt der Dichter an, nicht die Entfaltung tragischer Stimmung. Entlarvung beabsichtigt er: Entlarvung der Inhumanität eines humanen Gehabes, des Widerspruches zwischen Schein und Zweck. Der Plan der Händler ist deshalb so teuflisch, weil er eben jene Sphäre, in welcher der Mensch aus allen Zwecken am weitesten gelöst ist, zu gemeiner Absicht mißbraucht. Fest und Frohsinn werden wie ein Medikament verabreicht und aufgezwungen, seelische Hygiene dient ausschließlich dem Verkaufsinteresse. Wieder weist Heines Ballade auf Dichtungen Brechts voraus. Schon hier wird die Herabwürdigung des Menschen zur Ware kritisch entlarvt — hier auch der kommerzielle Mißbrauch der Religion satirisch enthüllt. Zum Schluß erreicht der händlerische Zynismus seine letztmögliche Steigerung. Mynher van Koek schaut dem makabren Tanz in Ketten zu und betet:

> „Verschone ihr Leben um Christi willn,
> Der für uns alle gestorben!
> Denn bleiben mir nicht dreihundert Stück,
> So ist mein Geschäft verdorben."

Die blasphemische Rede offenbart Religiöses als ideologischen Vorwand, als Mittel zur Bemäntelung und Rechtfertigung wirtschaftlichen Egoismus. — In keiner Ballade kommt Heine marxistischer Blickweise so nahe wie im „Sklavenschiff".

Zur anderen sozialkritischen Ballade, dem Nachlaß-Gedicht „Jammertal"[53], führt uns die Figur des Chirurgen. Zwei Menschen erleiden den Tod, und das Abscheiden wird ärztlich konstatiert. Kein Geschehen im Sinne der *nordischen* Ballade entwickelt sich; keine bloß irrational erlebbare Macht bringt hier den Tod — die Entmythisierung der Ballade ist vollkommen. Ein ganz diesseitiges Elend, das Menschen dem Hunger und der Kälte preisgibt, fordert seine Opfer; die den Menschen umlauernden tödlichen Kräfte entwachsen den Umweltbedingungen. Und es ist nicht einzusehen, warum dieses Thema grundsätzlich geringere dichterische Dignität besitzen sollte als die Themen der totenmagischen, naturmagischen oder Geisterballaden.

Trotz des prosaischen, Realität beschreibenden Einsatzes fällt der Erzähler noch einmal in die volksliedhaft-romantische Ausdrucksweise zurück, die eine traurige, bittersüße Geschichte von Liebe und Tod erwarten läßt. Die Liebenden selbst verklären und romantisieren ihr Geschick; sie schweben schon — kraft ihrer Liebe — in einer Art Schwerelosigkeit über dem irdischen Elend. Wie eine wehmütige Weise über das Thema „Liebe ist das Brot der Armen" mutet zunächst die Ballade an. Hier wird noch die Nähe zur Art der „sozialen" Ballade eines Chamisso spürbar, die eine Tendenz zum Rührenden zeigte, zu Balladen wie „Die

alte Waschfrau" oder „Der Bettler und der Hund". Unüberhörbar ist freilich auch eine leichte Übertreibung des seelenhaften
Tons, eine andeutungsweise ironische Distanz des Erzählers,
die jegliche Verwechslung der Heineschen mit einer Ballade
Chamissos ausschließt.

Vollends von dessen „sozialer" Ballade, aber auch von der
sozialkritischen des Sturms und Drangs (Bürgers) entfernt sich
Heine in den letzten Strophen. Jäh bricht die verklärende Schau,
jäh die romantisierende Diktion ab. Übergangslos folgt Ernüchterung mit dem sachlichen Bericht des Chirurgen:

> Die strenge Wittrung, erklärte er,
> Mit Magenleere vereinigt,
> Hat Beider Ableben verursacht, sie hat
> Zumindest solches beschleunigt.

Aber auch diese forcierte Sachlichkeit des ärztlichen Befunds,
an die menschenverächterische wissenschaftliche Betrachtungs-
weise des Doktors in Büchners „Woyzeck" erinnernd, verschleiert
die Wirklichkeit; sie ist nur eine andere Art der Beschönigung,
gipfelnd im Hohn:

> Wenn Fröste eintreten, setzt' er hinzu,
> Sei höchst notwendig Verwahrung
> Durch wollene Decken; er empfahl
> Gleichfalls gesunde Nahrung.

Die scheinbar objektive Empfehlung wird zur Phrase, die von
der sozialen Not abzulenken sucht.

Solche Form einer Satire, die ihr Objekt durch seine verlogene
Attitüde charakterisiert und die Widersprüche unaufgelöst der
kritischen Beurteilung des Lesers überläßt, wird erst wieder bei
Brecht begegnen. Die sogenannte soziale Ballade des 19. Jahrhunderts zieht ihre Themen vor allem aus dem Gegensatz zwischen Arm und Reich und appelliert an Emotionen; sie ist im
wesentlichen soziale Mitleidsdichtung, schon bei Chamisso. Man
sollte die Bedeutung, die Adalbert von Chamisso in der Geschichte der deutschen Ballade zukommt, gewiß nicht ver-
kleinern. Er holt die Ballade gleichsam von ihrem Kothurn; bei
ihm wird das Leben der Gegenwart — und zwar ein unheroisches
Leben —, wird die Schicht der sozial Tiefergeordneten der Bal-

lade würdig. Aber rührende und biedermeierliche Züge machen die Darstellung der Armen zu einer Genremalerei, deren Hausbackenheit inzwischen ihre unfreiwillige Komik enthüllt hat. Harmlos gegenüber Heines Gedicht „Die schlesischen Weber" wirkt Ferdinand Freiligraths — wenige Monate vor dem bekannten Weberaufstand vom Juni 1844 entstandene — Ballade „Aus dem schlesischen Gebirge", trotz ihrer eindringlichen entmythisierenden Absicht (im sozialen Elend erweist sich die Sage vom hilfreichen Rübezahl-Geist als ein Ammenmärchen). Erst in die Fragment gebliebene Fortsetzung dringt Aggressivität ein — das Pathos politischer Dichtung, das vor allem die Ballade Georg Herweghs kennzeichnet. Herweghs „Die kranke Lise" (1842), aus den „Gedichten eines Lebendigen", ist freilich mehr politisches Lied denn Ballade; das Thema der sozialen Spannung zwischen begüterter Oberschicht und der Masse des Volks wird nicht im Geschehen entfaltet, sondern im Monolog der Kranken und in ihrem imaginären Gespräch mit dem ungeborenen Kinde. Die politische Wirkungsabsicht faßt sich zusammen in den beiden einhämmernden, an revolutionäre Emotionen appellierenden Refrains, die das Gedicht durchziehen. Vom politischen Pathos wieder entfernt hat sich die soziale Ballade der Zeit des Kaiserreichs, auch wo sie, wie in Ferdinand von Saars „Das letzte Kind" (1882) an einem Kindesmord-Fall, die vielleicht verheerendste Folge der sozialen Verelendung aufzeigt: den Zerfall des Bewußtseins von Gut und Böse.

Aber kehren wir, das Feld der sozialen Ballade verlassend, noch einmal zu Heine zurück und wenden uns zwei „Historien" aus dem „Romanzero" zu, die keine neue „Geschichte der deutschen Ballade" übergehen sollte. In der Romanze „Der Asra" (zuerst gedruckt 1846) hat Ernst Feise eines der vollkommensten Gedichte Heines überhaupt gesehen [54]. Auch hier bleibt der Dichter noch, mit der engen Verbindung von Liebes- und Todesmotiv, im Umkreis romantischer Themenwahl. Aber die Erzählsprache ist von einer Verhaltenheit, die auf gemütsbewegende Ausdrucksformen verzichtet — wie sie sich andererseits auch jeglicher Ironie fernhält. Das Motiv fand Heine im 53. Kapitel von Stendhals „De l'amour" (1822). Unter allen arabischen Stämmen, so wird hier berichtet, sei der Stamm der Benou-Azra

62

sprichwörtlich berühmt durch die Kunst zu lieben. Als ein
Araber einmal nach seiner Herkunft gefragt wird und antwortet
„Ich bin von jenem Volk, bei dem man stirbt, wenn man liebt",
errät der Fragende sofort, daß er zum Stamme der Asra gehört.
Fast wörtlich übernimmt Heine die Antwort des Arabers. Die
Anregung ist in ein Geschehen von letzter Einfachheit und in
einen Bericht von äußerster sprachlicher Ökonomie umgesetzt:

Der Asra

Täglich ging die wunderschöne
Sultanstochter auf und nieder
Um die Abendzeit am Springbrunn,
Wo die weißen Wasser plätschern.

Täglich stand der junge Sklave
Um die Abendzeit am Springbrunn,
Wo die weißen Wasser plätschern;
Täglich ward er bleich und bleicher.

Eines Abends trat die Fürstin
Auf ihn zu mit raschen Worten:
Deinen Namen will ich wissen,
Deine Heimat, deine Sippschaft!

Und der Sklave sprach: Ich heiße
Mohamet, ich bin aus Yemmen,
Und mein Stamm sind jene Asra,
Welche sterben, wenn sie lieben [55].

Tägliches Warten des Sklaven auf die Sultanstochter, Annäherung der beiden über eine einzige Frage und eine einzige Antwort — mehr erfahren wir aus dem Geschehen von der Begegnung und Beziehung der beiden nicht. Das Gedicht wirkt durch
seine Kunst der bloßen Andeutung. Die Wiederholung der
Schlußzeilen aus der ersten in der zweiten Strophe rückt die all-
abendliche Parallelhandlung der Fürstin und des Sklaven, aber
auch die immer erneute Begegnung eindrücklich ins Bewußtsein.
Und doch ist die andere Stellung der wiederholten Verse in der
zweiten Strophe bedeutsam. Daß hier noch eine Zeile folgt, macht
jenes Moment der Veränderung in der Wiederkehr auffällig,

das der Vers auch inhaltlich konkretisiert: „Täglich ward er bleich und bleicher." Diese Aussage bleibt noch rätselhaft. Erst die Schlußzeilen offenbaren den Sinn, den Doppelsinn des Signals. Der Sklave ist in den Bann des Stammesschicksals geraten, das den Liebenden in den Tod verstrickt. (Dies erscheint in der Romanze als Gesetz, das wie der Mythos keiner logischen Begründung bedarf.)

Doch setzt der auflösende Schluß noch einmal ein neues Rätsel. Das Geschehen hat jene Situation erreicht, in welcher der Sklave auf die ganz anders gerichtete Frage seine Liebe — wenn auch auf uneigentliche Weise — bekennt. Über den Fortgang des Geschehens schweigt der Erzähler. Ob Kühnheit bestraft oder belohnt, ob die Liebe angenommen oder verstoßen wird — alles dies sind Spekulationen, die das Gedicht verbietet. Der Sklave hat das Gesetz enthüllt, unter dem er steht. Wie es sich erfüllt, das bleibt ein Geheimnis, das aufzulösen weder die Absicht des Erzählers noch die Sache des Lesers ist. So wird die Romanze zum Beispiel dafür, wie große Dichtung nicht zuletzt an dem zu messen ist, was sie offen zu lassen vermag.

Von der Mißachtung und zu späten Rehabilitierung des großen persischen Epikers Firdausî (um 1000 n. Chr.) erzählt die Romanze „Der Dichter Firdusi" [56]. Wie öfter bei Heine gewinnt der Geschehensbericht Lebendigkeit durch die Dreigliedrigkeit der Ballade und den metrisch-rhythmischen Wechsel. — Auf Geheiß des Schahs schrieb Firdusi das Heldenlied „Schach Nameh" (Schâh-Nâme, das später berühmte Königsbuch und persische Nationalepos). Für jeden Vers hatte ihm der Schah einen Thoman versprochen, und der Dichter durfte goldne Thoman erwarten. Als aber das riesige Werk fertig ist, werden ihm Silberthoman geschickt. Bitter trifft ihn, was er als Zeugnis königlicher Doppelzüngigkeit empfindet. Er verschenkt das Geld an die Boten und seinen Badeknecht und lebt fortan armselig in seiner Vaterstadt. Eines Tages wird am Hofe der Schah von einem Lied zur Begeisterung hingerissen; er fragt nach dem Dichter und erfährt, daß es Firdusi ist. Der Name löst Betroffenheit, vielleicht sogar Reue aus. Denn nun wird eine Karawane mit den wertvollsten Schätzen nach der Stadt Thus in Bewegung gesetzt; am achten Tage zieht sie durch das Westtor ein.

Doch durch das Osttor, am andern End
Von Thus, zog in demselben Moment

Zur Stadt hinaus der Leichenzug,
Der den toten Firdusi zu Grabe trug.

Es wäre zu vordergründig, die „Historie" als eine Parabel für das Geschick des Künstlers zu deuten, der den Undank des Herrschers oder der Mitwelt erfährt und den der verdiente Lohn zu seinen Lebzeiten nicht mehr erreicht. Denn immerhin: Firdusi hat die 200 000 Silberthoman in einem Augenblick der Bitterkeit verschenkt, er hätte nicht im Elend sterben müssen. Nicht die materielle Übervorteilung, ja nicht einmal Wortbruch hat ihn beleidigt:

„Hätt er menschlich ordinär
Nicht gehalten, was versprochen,
Hätt er nur sein Wort gebrochen,
Zürnen wollt ich nimmermehr.

„Aber unverzeihlich ist,
Daß er mich getäuscht so schnöde
Durch den Doppelsinn der Rede
Und des Schweigens größre List.

Es ist der Mißbrauch der Sprache durch den Vertreter herrscherlicher Macht, der Firdusi im Innersten getroffen hat.

„Wen'ge glichen ihm auf Erden,
War ein König jeder Zoll ...

Er, der Wahrheit stolzer Mann —
Und er hat mich doch belogen."

Wo es um die Sprache, um die Wahrhaftigkeit des Wortes geht, ist der Dichter über den König zum Richter gesetzt. Und zur Rede gehört das erwartete und als selbstverständlich zu erwartende, wenn auch unausgesprochene Wort. Verwerflicher noch als die Lüge der Rede selbst ist die Lüge des Schweigens, der ausgesparten Rede, ist die Täuschung des Vertrauens, das aufs Wort verzichtet. Der Dichter hat sein Urteil über den Herrscher gesprochen — mit jener Geste, die ihm zu Gebote steht.

So ist auch der scheinbar für Firdusi tragische Schluß durchaus in anderem Sinne zu lesen: der Rechtfertigungsversuch des Schahs kommt zu spät, die Bestechung wird nicht mehr angenommen.

Von Anfang an will das Geschehen auf dem Hintergrund des überzeitlichen Ruhms, der überzeitlichen Größe des Dichters gesehen werden. Als „Der Verfasser des berühmten / Und vergötterten Schach Nameh", als der große Nationaldichter also, wird Firdusi eingeführt. Und zu eindringlich ist Heines dichterischer Hymnus auf das persische Nationalepos, als daß die Übermacht der zeitlosen poetischen Wirkung Firdusis über die befristete politische Gewalt des Schahs im Verlaufe der Romanze vergessen werden könnte:

> Unterdessen saß der Dichter
> An dem Webstuhl des Gedankens,
> Tag und Nacht, und webte emsig
> Seines Liedes Riesenteppich —
>
> Riesenteppich, wo der Dichter
> Wunderbar hineingewebt
> Seiner Heimat Fabelchronik,
> Farsistans uralte Könge,
>
> Lieblingshelden seines Volkes,
> Rittertaten, Aventüren,
> Zauberwesen und Dämonen,
> Keck umrankt von Märchenblumen —
>
> Alles blühend und lebendig,
> Farbenglänzend, glühend, brennend,
> Und wie himmlisch angestrahlt
> Von dem heilgen Lichte Irans,
>
> Von dem göttlich reinen Urlicht,
> Dessen letzter Feuertempel,
> Trotz dem Koran und dem Mufti,
> In des Dichters Herzen flammte.

Etwas von der unermeßlichen Wirkung dieser Dichtung erfährt der Schah noch an sich selbst: in eben jenem Augenblick, da ihn Firdusis Lied in seinen Zauberbann schlägt. Ihn überfällt jäh die Ahnung, daß er einen Unsterblichen zu betrügen unternommen hatte. Und so mögen die Geschenke aus herrlichsten Kostbarkeiten, die er Firdusi schickt, auch ein Versuch sein, dem Urteil der Nachwelt schnell noch zuvorzukommen — ein Versuch, sich mit dem Dichter als dessen großherziger König in die Erinnerung des Volkes zu schleichen. Aber die allzu späte Tat eines Herrschers, der seines Untertanen nicht würdig war, wird von der Geschichte nicht mehr angenommen. Als die Schätze eintreffen, ist der Dichter schon in die Unsterblichkeit fortenteilt. —

Frank Wedekind hat in seinem Widmungsgedicht „An Heinrich Heine", das er 1906 bei einer Vorstellung zugunsten eines Heine-Denkmals sprach, die Worte des „Firdusi" über alle anderen des Dichters gestellt. Er zitiert einen großen Teil der Romanze und schließt den Kommentar an: „Er zweifelte wohl nie, daß der Poet / Als Märtyrer durchs ird'sche Dasein geht." [57] Wedekind hatte längst seine eigenen bitteren Erfahrungen mit den Organen herrscherlich-staatlicher Willkür gemacht.

Aber 1923 hat auch Börries von Münchhausen, was sehr bald in vorsätzliche Vergessenheit geriet, die Romanze vom Dichter Firdusi in die kleine Zahl deutscher „Meister-Balladen" eingereiht. Die Einschränkung freilich, mit der es geschah — bei aller selbstbescheidenen Bewunderung für Heine —, nimmt auch im Ansatz bereits jene Gründe vorweg, aus denen man später Heines Romanzen totschwieg. Die Sätze sollten, schon als Dokument für eine in der Heine-Rezeption nicht seltene Urteilsgespaltenheit, zitiert werden:

„So herrlich der Firdusi ist — eigentlich war Heine doch nicht ausgesprochen Balladendichter, sondern Liedersänger. Ich glaube, er nahm seine Helden nicht deutsch-ernsthaft genug, und deshalb kommen wir bei ihm selten in jene tiefen Erschütterungen wie bei deutschen, nordländischen, englischen, normannischen und bretonischen Balladendichtern."

Heine „war ein jüdisches Genie und schrieb geistvolle jüdische Balladen, die in ihrer Art völlig unübertroffen sind. Ich blicke zu ihm in tiefster bescheidenster Verehrung auf und bin stolz und glücklich, daß ich alle seine Edelsteine in ihren hohen Karaten zu erkennen vermag, daß ich ihr Funkeln ganz bedingungslos bestaunen kann.

Aber ich bin eben Deutscher, und restlos genießen kann man nur gleichwüchsige Kunst." [58]

Wir können uns den Kommentar versagen; die Vorurteile richten sich selbst. Gleichwohl gilt es immer noch, veränderte Vorstellungen von „deutscher" Ballade auch in die Tat umzusetzen. Es ist an der Zeit, in Balladen-Anthologien, Interpretationssammlungen und Unterrichtsplänen endlich einen „alten Hut" für Heines „Dichter Firdusi" zu opfern. —

Nehmen wir aber Münchhausens Marginalien zum Anlaß, das Romanzenwerk Heines noch einmal zu überblicken. Sicherlich empfangen — zumal im „Buch der Lieder" — viele der Gedichte, die zu den Romanzen gestellt sind, ihre Mitte eher aus der Lied- als aus der Balladenkunst Heines. Hier ist das Erbe der Romantik, das Beispiel der lyrischen Ballade Brentanos und Eichendorffs aufgenommen — jenes Erbe, das andererseits doch ironisch abgewiesen wird. Ein allgemeiner Zug zur Entzauberung und Entmythisierung trifft die konventionelle Ballade in ihrem Kern, sei es nun die naturmagische, die Geister- oder die historische und Heldenballade. Nicht zufällig vermißt Münchhausen bei Heines Romanzen die Wirkung jener Ballade, die er selbst auch die „nordische" nannte. Eben das Nicht-Nordische aber ist es, was Heines Romanzen um so viel moderner erscheinen läßt als Münchhausens eigene Balladen. Mehrfach konnten wir Haltungen beobachten, die wir der *legendenhaften* Ballade zuordnen [59]. Im Falle des „Ritter Olaf" läßt sich geradezu von einer Überformung der *nordischen* durch die *legendenhafte* Ballade sprechen (ähnliches könnte man selbst für die Historie „Schlachtfeld bei Hastings" zeigen). Solche Entheroisierung ist nicht zuletzt eine Mitgift der Anregungen, die Heine von Volkslied und Volksballade empfing. Denn man muß sich erinnern, daß die deutsche Volksballade — als eine von bürgerlichen Schichten getragene Gattung — den leidenden „Helden" dem dynamisch-aggressiven vorzieht, daß die Abwanderung alter Heldenliedstoffe in die sozial tiefere Schicht auch zu ihrer Überlagerung durch volksläufige Vorstellungsweisen geführt hatte. Heines Romanze ist in ähnlichem Sinne „unaristokratisch" wie die Volksballade, läßt aber deren Naivität weit hinter sich. Sie bemüht keine anachronistischen Heldenbilder und keine mythologische Bilderwelt, sie schreitet „mit dem Zeitalter fort", indem sie Fuß faßt im Felde zwischenmenschlicher Beziehungen und sich einläßt in Probleme, welche die gesellschaftlichen und historisch-politischen Bewegungen aufwerfen.

Der Dichter weicht der Darstellung sozialer Spannungen nicht aus und wendet sich den Verelendeten und Entrechteten zu. So kommt es, etwa in der Sklavenschiff-Ballade, zu einer Form, in der menschliches Leiden zum Martyrium gesteigert erscheint — einem Martyrium freilich ohne religiösen Trost und Sinn — und in der sich die Sozialkritik einer satirisch-grotesken Entlarvungstechnik bedient, die wir erst wieder in der Ballade des 20. Jahrhunderts antreffen.

4. Annette von Droste-Hülshoff

Von Heine zu der Droste übergehen heißt eine Kluft über-
steigen, auch wenn sich am Ende das Trennende nicht als so
stark erweisen wird, wie es zunächst den Anschein hat. Herkunft und Lebensform, der geistige und religiöse wie der künstlerische Standort machen beide zu gegensätzlichen Erscheinungen
der Zeit vor der und um die Jahrhundertmitte. Jenes Proble-
matischwerden konventioneller Balladenformen, das bei Heine
so vielfältigen Ausdruck findet, den Balladenstil der Droste
scheint es unberührt zu lassen. Der dichterischen Vergegenwärtigung und Verdichtung eines bestimmten Zuges westfälischer Landschafts-Atmosphäre konnte die *nordische* Ballade als
ein angemessenes Formenmodell willkommen sein. Und wohl
keiner hat nach Bürger eine unheimliche, schaurige, „nordische"
Landschaft mit solcher Eindringlichkeit zu beschwören gewußt
wie die Droste — wobei ihre Dichtung an sprachlich-rhyth-
mischer, leidenschaftlicher und visionärer Kraft die Dichtung
Bürgers gewiß überragt.
Wir erkannten, daß die deutsche Kunstballade *nordischer* Art
von ihren Anfängen her auch mit heidnischen Relikten versetzt
ist, so sehr diese Restbestände verdeckt oder sogar christlich
überformt sein mögen. Ein gut Teil heidnischer Elemente wird
auch der Ballade der Droste durch heimatliche Sagen oder den
Volksglauben zugeführt. Daß die Dichterin sich dessen bewußt
ist, ja daß sie sogar der Reflexion in der Ballade Raum läßt,
zeigt „Der Schloßelf" (1840/41) [60].
Dem Sagenmotiv zufolge, das die Droste hier aufgreift oder frei
variiert, taucht ein Elf immer dann in den Schloßweiher, wenn
im gräflichen Hause der erste Sohn geboren wird. Das Gedicht
gehört zu den wenigen heiteren Balladen der Droste; der Er-
zähllton ist durchaus humoristisch. Schon die ersten beiden Strophen heben, in der — auf Schloß Hülshoff anspielenden — Be-

schreibung der Wasserburg, das Unheimliche aus der Sphäre
reinen Ernstes:

> In monderhellten Weihers Glanz
> Liegt brütend wie ein Wasserdrach
> Das Schloß mit seinem Zackenkranz,
> Mit Zinnenmoos und Schuppendach.
> Die alten Eichen stehn von fern,
> Respektvoll flüsternd mit den Wellen,
> Wie eine graue Garde gern
> Sich mag um graue Herrscher stellen.
>
> Am Tore schwenkt, ein Steinkoloß,
> Der Bannerherr die Kreuzesfahn,
> Und kurbettierend schnaubt sein Roß
> Jahrhunderte schon himmelan;
> Und neben ihm, ein Tantalus,
> Lechzt seit Jahrhunderten sein Dogge
> Gesenkten Halses nach dem Fluß,
> Im dürren Schlunde Mooses Flocke.

In den Gemächern ist es noch hell und lebendig; ein Bauer des
Guts, der zu einer Wallfahrt aufgebrochen ist, kommt an den
Schloßweiher, sieht das Licht und betet für seine Herrin, die in
den Wehen liegt.

> Doch durch sein christliches Gebet
> Manch Heidennebel schwankt und raucht;
> Ob wirklich, wie die Sage geht,
> Der Elf sich in den Weiher taucht,
> So oft dem gräflichen Geschlecht
> Der erste Sprosse wird geboren?
> Der Bauer glaubt es nimmer recht,
> Noch minder hätt er es verschworen.

Die Ballade ist deshalb so aufschlußreich, weil sie die Spannung
zwischen christlicher Frömmigkeit und der in den heidnischen
Sagenzügen liegenden Zumutung, somit die Glaubwürdigkeit
der Sage selbst, zum Gegenstand macht. Freilich bleibt zu bedenken, daß sie diese Spannung auf humorvolle Weise entfaltet und damit den letzten Ernst der Auseinandersetzung vermeidet. Daß das Problem nicht zu seiner ganzen Schärfe ge-

trieben werde, dafür sorgt auch die Figur des Bauern. Der christlichen Religion in einfacher Frömmigkeit ergeben, befindet er sich als Wallfahrer just in einer Zeit besonderer Glaubensanforderung und -ausübung, aber er hat auch als Bauer unmittelbar teil an dem durch Sagen genährten Volksglauben. Die Spannung zwischen Christlichem und Heidnischem wird also auf naiver Stufe ausgetragen. Und sie wird auch durch diese Figur in der Waage gehalten.

Denn der Bauer hat, noch schwankend zwischen Zweifel und Erwartung, nun die Begegnung mit dem Schloßelfen, die ihn von der Richtigkeit der Volkssage überzeugen kann. Er ist sich des Unheimlichen, des Dämonischen, das sich begibt, wohl bewußt; er versucht es mit dem Zeichen des Kreuzes zu bannen. Aber er e r l e b t das Elementarwesen, auch wenn es ihn nicht bedroht, als existent:

> Da, hui! streifts ihn, federweich,
> Da, hui! raschelts in dem Grün,
> Da, hui! zischt es in den Teich ...

Er sieht es sogar im Wasser in der Gestalt eines Kindes, dessen Erscheinung sich auflöst.

An dieser Stelle freilich werden auch leise Vorbehalte eingeschaltet:

> Der Alte hat sich vorgebeugt,
> Ihm ist, als schimmre, wie durch Glas,
> Ein Kindesleib, phosphorisch, feucht
> Und dämmernd, wie verlöschend Gas;
> Ein Arm zerrinnt, ein Aug verglimmt —
> Lag denn ein Glühwurm in den Binsen?
> Ein langes Fadenhaar verschwimmt,
> Am Ende scheinens Wasserlinsen!

Der Leser darf manche Wahrnehmungen des Bauern auch als Sinnestäuschung werten, als Bilder einer gereizten Einbildungskraft. Nicht alles, was der Alte später von seiner nächtlichen Begegnung erzählen mag, ist verbürgt. Man wird auch nicht übersehen, daß das Bild des Kindes im ästhetischen Gefüge des Gedichts eine klare Aufgabe hat: nämlich vorausweisende und

72

vorbereitende Funktion. Es nimmt bildlich die Geburt des Schloßerben und den Triumphruf vorweg, mit dem der Bericht schließt.

Dennoch haben in der Welt dieser Ballade christlicher Glaube und heidnische Überlieferung gleichsam einen modus vivendi gefunden. Der durch die christliche Religion geforderte Zweifel wird behutsam korrigiert, aber andererseits auch das phantastische Rankenwerk des Volksglaubens humorvoll in Frage gestellt. Immerhin: es gibt einen Kernbestand der Sagenüberlieferung, der noch als wirklich erlebt werden kann.

Und damit ist nun zugleich das künstlerische Verhältnis der Dichterin selbst zu dieser Überlieferung angedeutet. Die Droste stellt die Wirkung naturmagischer Kräfte, die Gespenster-, Geister- und Wiedergängererscheinungen als eine in der heimischen Landschaft und unter ihren Bewohnern e r l e b t e Wirklichkeit dar. Und es ist auch — so paradox es klingen mag — ihr realistischer Sinn, der sie alles dies dichterisch aufzeichnen läßt. In der Fragment gebliebenen Erzählung „Bei uns zu Lande auf dem Lande" (1841/42) beschreibt der Erzähler, ein Edelmann aus der Lausitz, die westfälischen Adligen so: „Alles bildet an sich und lernt zu bis in die grauen Haare hinein, und alles glaubt an Hexen, Gespenster und den Ewigen Juden." [61] In dem frühen Romanfragment „Ledwina" (1819–24) heißt es: „Wirklich gab es viele Beschwörer, sogenannte Besprecher, in jener Gegend, wie überhaupt in allen flachen Ländern, wo die Menschen mit der schweren neblichten Luft die Schwermut und einen gewissen krankhaften tiefen Geisterglauben einatmen." [62] Das nun freilich ist zugleich ein entscheidender Hinweis in eine andere Richtung. Fähigkeiten zur übersinnlichen Erfahrung — wie das Zweite Gesicht, die „Spökenkiekerei" oder die Wahrnehmung von Totengeistern — werden mit den Bedingungen der Landschaft in Zusammenhang gebracht. Sie gelten gar als krankhaft — wobei allerdings „krankhaft" nicht identisch ist mit pathologisch, sondern eine Reizbarkeit meint, eine Entzündbarkeit für übersinnliche Wahrnehmungen, welche die S e e l e bedrohen. So wird auch das Organ für die geheimen, bedrohlichen Naturkräfte und für das Geisterwesen weniger als eine besondere Gabe denn als eine Last empfunden [63]. Die Ballade „Vorgeschichte

(Second sight)" [64] beginnt mit der Bitte um ein Gebet für alle von Gesichten Bedrängten:

> Kennst du die Blassen im Heideland,
> Mit blonden flächsenen Haaren?
> Mit Augen so klar, wie an Weihers Rand
> Die Blitze der Welle fahren?
> O, sprich ein Gebet, inbrünstig, echt,
> Für die Seher der Nacht, das gequälte Geschlecht.

Als vampirhaft erscheint die Kraft des Zweiten Gesichts, gegen das sich in dieser Ballade ein Freiherr vergeblich wehrt:

> Der Vollmond lagert den blauen Schein
> Auf des schlafenden Freiherrn Locke,
> Hernieder bohrend in kalter Kraft
> Die Vampirzunge, des Strahles Schaft.
>
> . . . .
>
> Gefangen! gefangen im kalten Strahl!
> In dem Nebelnetze gefangen!

Die außergewöhnlichen Zustände, die den Menschen entzündbar machen, werden zu wirklichen Heimsuchungen. Sie sind Zustände der Ungeborgenheit, des Gebetes um Erlösung bedürftig. So deutet sich durch alle Darstellungen der als wirklich erlebten Natur- oder Totenmagie hindurch die religiöse Haltung der Droste an. Anerkennung von Naturmagie und Geisterwesen als einer erlebten Wirklichkeit schließt die innere (religiöse) Abwehr der Dichterin nicht aus.

Wie determiniert aber die Ausdrucksmöglichkeiten der Dichterin in den Rüschhauser Balladen aus den Jahren 1840/41 noch sind, vermögen gerade zwei Gedichte zu erläutern, in deren Stoffen eine Empfänglichkeit für die *legendenhafte* Ballade durchaus angelegt war. An das historische Ereignis der Ermordung Engelberts des Heiligen durch seinen Neffen, den Grafen von Isenburg, am 7. November 1225, knüpft „Der Tod des Erzbischofs Engelbert von Köln" [65] an. Was die Droste zeigt, ist nicht die Figur des Heiligen, ist keine Legendengestalt und Märtyrerfigur, wie denn überhaupt in der Ballade kein spezifisch christliches Sinnmotiv begegnet. Der Erzbischof wird ausschließlich

74

als der Kämpfer und tapfere Ritter gesehen, als die „ehrne Hand der Klerisei".

> Am Buchenstamm steht der Prälat
> Wie ein gestellter Eber heute.
>
> Er blickt verzweifelt auf sein Schwert,
> Er löst die kurze breite Klinge,
> Dann prüfend untern Mantel fährt
> Die Linke nach dem Panzerringe;
> Und nun wohlan, er ist bereit,
> Ja, männlich focht der Priester heut,
> Sein Streich war eine Flammenschwinge.

Dieser Erzbischof gleicht eher einer Figur des germanischen Heldenliedes als einem christlichen Heiligen. Sein Todeskampf ereignet sich in einer schaurigen Waldwildnis; und mit Bildern der *nordischen* Ballade setzt auch der Schlußteil ein: mit dem Blick auf die düstere Richtstätte, den Rabenstein — man denkt an das „luftige Gesindel" vom Hochgericht in Bürgers „Lenore" und mehr noch an die Szenerie des Rabensteins in „Des Pfarrers Tochter von Taubenhain".

Befremdlicher wirkt die „nordische" Kulisse in „Meister Gerhard von Köln" [66]. Das Gedicht entstand im August 1841 im Zusammenhang mit den Bemühungen, endlich den Bau des Kölner Doms zu vollenden. Die Dichterin pfropft ihrer Beschreibung der nächtlichen Stadt die Bildlichkeit einer neblig-unheimlichen Landschaft auf:

> Tief zieht die Nacht den feuchten Odem,
> Des Walles Gräser zucken matt,
> Und ein verhauchter Grabesbrodem
> Liegt über der entschlafnen Stadt...

In der unfertigen grauen Kathedrale, die wie ein „riesenhafter Zeitentraum" daliegt, verdichtet sich das Grauen:

> Wie ist es schauerlich im weiten,
> Versteinten öden Palmenwald,
> Wo die Gedanken niedergleiten
> Wie Anakonden schwer und kalt...

> Und immer schwerer will es rinnen
> Von Quader, Säulenknauf und Schaft,
> Und in dem Strahle wills gewinnen
> Ein dunstig Leben, geisterhaft ...

Und tatsächlich hebt sich nun aus dem Dunste der Geist des
ersten Baumeisters hervor; unhörbar schwebt das Gespenst des
Meister Gerhard durch den weiten Raum.

> Und allerorten legt es an
> Sein Richtmaß, webert auf und nieder,
> Und leise zuckt das Spiel der Glieder,
> Wie Rauch im Tann.

Am Ende tritt der Zweckcharakter des Gedichtes hervor: Meister
Gerhard beklagt, daß sein Werk noch immer unvollendet steht.
So sucht die Dichterin mit den Mitteln der Gespensterballade für
den Dombaugedanken zu werben. Über die Sprachmächtigkeit
mancher Verse gibt es keinen Zweifel; und doch verstehen wir
die spätere Unzufriedenheit der Droste mit dem Gedicht — ihr
Urteil, daß es „nur mittelmäßig geraten und vielleicht der über-
fließende Tropfen in meinem Übermaß von Gespenstergeschich-
ten und Traumhaftem ist" [67].
Wir nehmen dieses Urteil zugleich als Zeugnis der Absage an
einen Balladenstil, der aus dem Arsenal der konventionellen
Geister- oder Schauerballade schöpft. Tatsächlich bringen die
Meersburger Balladen aus den Jahren 1841/42 eine entschei-
dende Wendung, die in mehrfacher Hinsicht bemerkenswert ist.
Zwar wird auch hier noch die Form der Geisterballade aufgenommen, aber doch nur in einer Weise, die zugleich Distanzierung bedeutet. So kulminiert in „Der Fundator" [68] das Geschehen gerade in der Befreiung von allen bedrängenden Gesichten: Dem alten Diener, der im Schloß allein bei dem jungen
Sohn der abwesenden Herrschaft wacht und in der Chronik des
Hauses blättert, werden die Schatten im Mondlicht zur Gestalt
des die Chronik schreibenden Gründers, so daß er schließlich
angstvoll das Kind ergreift und in den Korridor stürzt — in
ebendiesem Augenblick aber verscheucht die Rückkehr der Herrschaft die gespenstische Erscheinung:

> O, Gott sei Dank! ein Licht im Gang,
> Die Kutsche rasselt auf der Brücke!

In diesem Motiv der Erlösung bekundet sich etwas wie ein Abschied von der Geisterballade. Nicht, daß die Existenz eines Unheimlichen, eines „Es", „das alle irdisch faßbaren Bereiche zu verwirren und bodenlos zu machen scheint" [69], grundsätzlich geleugnet würde. Aber die Verwirrungen sind der Dichterin jetzt Tiefen, die durchschritten werden können, hinter denen Rettung verheißen ist.

Das weist hinüber zur Ballade „Der Knabe im Moor" [70]. Das Gedicht steht unter den „Heidebildern"; die Droste rechnete es zu den sogenannten Genrebildern. Dennoch ist es längst auch als Ballade eingebürgert [71]. Trotz der anderen Landschaft gleicht die Grund- und Ausgangssituation der in Goethes „Erlkönig":

> O schaurig ist übers Moor zu gehn,
> Wenn es wimmelt vom Heiderauche,
> Sich wie Phantome die Dünste drehn
> Und die Ranke häkelt am Strauche ...

> Fest hält die Fibel das zitternde Kind
> Und rennt, als ob man es jage;
> Hohl über die Fläche sauset der Wind —
> Was raschelt drüben am Hage?

Wie im „Erlkönig" verdichtet sich die Feindseligkeit der Natur zur drohenden Gestalt, hier vervielfacht im „gespenstischen Gräberknecht", in der „unseligen Spinnerin", dem ungetreuen „Geigenmann" und der „verdammten Margret" — es sind unerlöste Seelen, die in dieser chaotischen Natur hausen und den Knaben in ihren Bann, in die Grundlosigkeit des Moors zu ziehen suchen. Beklemmender als in Goethes Ballade ist die Sprache der Elementargewalten, größer die Einsamkeit des Kindes. Und dennoch entrinnt der Knabe hier der dämonischen Magie der Natur, die auch im Rückblick als Erfahrenes nicht aufgehoben wird, und erreicht den Boden heimatlicher Gesichertheit:

> Und mählich gründet der Boden sich,
> Und drüben, neben der Weide,
> Die Lampe flimmert so heimatlich,
> Der Knabe steht an der Scheide.

Tief atmet er auf, zum Moor zurück
Noch immer wirft er den scheuen Blick:
Ja, im Geröhre wars fürchterlich,
O schaurig wars in der Heide!

Ähnlichkeit und Andersartigkeit des Schlusses drängen den Vergleich mit Gustav Schwabs „Der Reiter und der Bodensee" (1826 entstanden) auf. Schwabs Ballade nimmt zwischen dem „Erlkönig" und dem „Knaben im Moor" eine Art Zwischenstellung ein; an ihr verdeutlicht sich, in welchem Maße die Droste mit der Konvention der naturmagischen Ballade gebrochen hat. Auch der Reiter der schwäbischen Ballade erreicht den festen Boden, das rettende Ufer, die Geborgenheit eines durch Lichter angekündigten Dorfes. Auch er kehrt aus der Bedrohung durch die Natur in die schützende Gemeinschaft der Menschen zurück. Aber die ahnungslos überwundene Gefahr (des Rittes über das Eis) wird erst im Nachhinein, im Augenblick der Bewußtwerdung zur tödlichen Umklammerung: dem Wissenden stockt das Herz, er sinkt tot von seinem Pferd herab — der See hat sich sein Opfer doch noch geholt. So wählt Schwab nicht die mögliche befreiende Wendung, sondern nur den verzögerten tödlichen Ausgang; ihm liegt eine Neuformung der naturmagischen Ballade noch fern. (Übrigens hat sich in der volksläufigen Wendung vom „Ritt über den Bodensee" insgeheim die Korrektur des gewaltsamen, weil konventionellen Balladenschlusses vollzogen. Wir verstehen darunter das glückliche Überwinden einer ungeahnten Gefahr und denken eine nachträglich eintretende Katastrophe nicht mit.)
Die Droste räumt dem Magischen der unheimlichen Natur keine vernichtende Gewalt mehr ein. Und die Überwindung der Balladenkonvention ist auch Ausdruck einer religiösen Überzeugung, wonach der chaotischen Natur keine endgültige Macht über den Menschen zukommt. Daß das Bild vom gründenden, heimatlichen Boden mit religiösem Sinn angereichert ist, darauf verweist das Motiv des Schutzengels, der den Knaben vor dem Versinken im Moor bewahrt. Diese Nähe des Schutzengels bannt jene Elementargewalt, die in „Erlkönig" selbst der bergende Arm des Vaters nicht abzuhalten vermag. Hermann Kunisch hat in seiner Interpretation der Drosteschen Ballade davon ge-

sprochen, daß die Erwähnung des Schutzengels eine idyllische Entgleisung wäre, wenn man ihm nicht wirkliche, rettende Funktion zuerkenne. Ob — wie Kunisch auf Grund einiger Motivparallelen im „Geistlichen Jahr" (1820) meint — „hinter dem Knaben die in Glaubensnot verstrickte Seele sich verbirgt" [72], mag offen bleiben. Wichtiger scheint mir zu sein, daß die in heidnischen Vorstellungen wurzelnde Bilderwelt der naturmagischen Ballade hier schließlich durch Bilder christlich-religiösen Gehaltes verdrängt und aufgehoben wird.

Für den folgenschwersten Neuansatz in den Meersburger Balladen der Jahre 1841/42 sorgt aber die Hinwendung der Dichterin zu Problemen der zwischenmenschlichen Beziehung und des gesellschaftlichen Lebens. Zwei Balladen (zu denen „Der Geierpfiff" aus den Rüschhauser Jahren 1840/41 ein mehr heiteres Vorspiel liefert) führen in die Welt des außergesetzlichen Handelns, ins Räuber-, Schmuggler- und Piratenmilieu: „Die Vendetta" und „Die Vergeltung". Uns braucht hier nur „Die Vergeltung" zu beschäftigen.

Nicht das gesetzwidrige Tun einer asozialen Gruppe wird in dieser Ballade thematisch, sondern das Verbrechen am Nächsten in einer außergewöhnlichen Situation. Und die Dichterin erreicht eine vielfältige Sinnvertiefung dadurch, daß zwar das Geschehen an das Piratenmilieu gebunden bleibt, daß aber gerade der einzige zur Seeräuberbesatzung nicht Dazugehörende, der „Passagier", schuldig wird. In der Ausnahmesituation des Schiffbruchs, in der die Versuchung groß ist, sich selber der Nächste zu sein und zum Mörder zu werden, „vergilt" er die Hilfe eines Kranken und Schwachen, indem er ihn von einem treibenden Balken ins Meer stößt, um sich selbst zu retten. Drei Monate später wird er als Pirat — trotz aller Beteuerungen, kein Mitglied der Bande zu sein — an Land gerichtet. Als ihn der Henker fortreißt, erkennt er am Galgen die Inschrift des Balkens, auf den er sich rettete. Der einzige Zeuge seines Verbrechens ist auch Werkzeug seiner Hinrichtung.

Ein wenig zu pointenhaft mag die Darstellung des Vergeltungsgedankens wirken. Im übrigen erinnert der Vollzug der Rache durch ein Ding, eine Sache, entfernt an romantische Schicksalsdramen, in denen Dingrequisiten zu Schicksalsträgern werden;

der Vergeltungsgedanke erscheint hier also stark materialisiert. Auch könnte die fast alttestamentliche Härte und Erbarmungslosigkeit der Rache bei einer Dichterin wie der Droste befremden — nichts vom Licht der neutestamentlichen Verheißung, nichts von der Möglichkeit der Gnade deutet sich in diesem Gerichtsgeschehen an. Aber solche Bedenken und Erwartungen würden über die Vielschichtigkeit des Schuld-Sühne-Bezuges in dieser Ballade hinwegsehen. Denn es genügt nicht zu sagen, der „Passagier" verdiene keine Gnade, weil er keine Reue zeige. Des Verbrechens, dessentwegen er hingerichtet werden soll: der Piraterie, ist er nicht schuldig. In dieser Sache hat er nichts zu bekennen. Seine Verstocktheit und Gnadenunwürdigkeit ergibt sich erst daraus, daß er angesichts des Todes (eines verdienten Urteils) auf sophistischer Rechtfertigung besteht. Ihm dient seine Unschuld im leichteren Verbrechen zur Verheimlichung des schwereren. Freilich muß auch der Versuchungscharakter dieser Situation bedacht werden. Das Schuldeingeständnis wird erschwert durch die Wahrheit der Unschuldsbeteuerung. Und hieran nun läßt sich die ganze künstlerische Meisterschaft der Balladendichterin erkennen. Nicht nur das Schuldigwerden steht unter den Bedingungen der Ausnahmesituation, sondern auch das Gericht. Und die Gnade kann diesem Mörder versagt werden, nicht weil er ein verstockter, für alle Welt unbußfertiger, sondern weil er ein selbstgerechter Verbrecher ist, der noch sein eigenes Gewissen zu überlisten trachtet. Denn hinterhältiger als der leugnende ist der mit dem Schein des Rechts sich verteidigende Schuldige. So trifft hier „Vergeltung" nicht nur die verbrecherische Tat am hilfreichen Nächsten, sondern auch die selbstgerechte Entlastung des Schuldbewußtseins.

Bemüht die Droste in „Die Vendetta" und „Die Vergeltung" immerhin noch ein abenteuerlich-exotisches Milieu in einer Art veredelter Räuberballade, so begibt sie sich unmittelbar ins Feld zwischenmenschlicher, gesellschaftlicher Beziehungen mit der Meersburger Ballade „Die Schwestern"[73]. Zunächst mag es scheinen, als würde hier der Fall eines vornehmen Mädchens berichtet, das in der Verkommenheit endet. Die künstlerische Differenzierung besteht aber gerade darin, daß dieser Lebenslauf nur punktweise erhellt und fast ganz durch das Medium einer zweiten Figur, nämlich der Schwester, gesehen wird. Ja mehr noch: das Geschick des von sozialer Höhe herabsinkenden Mädchens Helene wird allenfalls am Rande wichtig; es hat nur auslösende Funktion für das Schicksal der Schwester Gertrud. Und dies keineswegs im Sinne äußerer Lebenssituationen. Das Balladengeschehen ist — wie in den besten Balladen der Droste immer — nur Bild- und Entfaltungsbereich für seelische Vorgänge.

Vier Teile vergegenwärtigen vier Stationen eines Leidensweges, eines seelischen Zusammenbruchs. Im ersten Teil wird die Vorgeschichte und das Geschehen einer ersten seelisch-geistigen Krise Gertruds berichtet. Eine quälende Unruhe mehr als ein bestimmtes Ziel treibt sie eines Nachts, die in ihre Obhut gegebene, aber in der Stadt verschollene Schwester zu suchen, und führt sie ins Dunkel und in die Irre.

> Wo drunten im Tobel das Mühlrad wacht,
> Die staubigen Knecht' an der Wanne,
> Die haben gehorcht die ganze Nacht
> Auf das irre Gespenst im Tanne.

Die neue Bedeutung des Wortes „Gespenst" ist bezeichnend für einen neuen Balladenstil, für einen neuen balladischen Realismus der Droste. Was hier den Uneingeweihten wie ein Gespenst anmutet, ist weder das Zubehör der alten Gespensterballade noch ein im Wachtraum geschautes Geistwesen, sondern ein in seiner Verzweiflung umgetriebener Mensch von Fleisch und Blut. Qualvolle Gesichte haben sich verfestigt zum Bild eines realen Menschen in extremer menschlicher Situation. Die visionäre Kraft der Balladendichterin durchdringt die Lebenswirklichkeit. Als ein Wirkliches wird denn auch—innerhalb der Balladenhandlung — das geheimnisvolle Wesen der Nacht entdeckt:

> Und als die Müllerin Reisig las
> Frühmorgens an Waldes Saume,
> Da fand sie die arme Gertrud im Gras,
> Die ängstlich zuckte im Traume.

Im zweiten Teil finden wir die Verstörte auf vergeblicher Suche im Straßengedränge der Stadt. Zwischen der zweiten und dritten Station sind zehn Jahre vergangen; der inneren Zerrüttung ist die der äußeren Lebensverhältnisse gefolgt. Die — vielleicht nur vermeintliche — Entdeckung der Leiche ihrer Schwester wirft Gertrud vollends aus dem seelischen Gleichgewicht.

Zu Beginn des vierten Teils führt sich der fiktive Erzähler selbst ein. So rückt das Geschehen merklicher in die epische Distanz; der zwischen Handlung und Leser tretende Berichterstatter neutralisiert die dem Stoffe innewohnenden rührenden Gehalte. Dabei wird das noch ausstehende Geschehen nicht einfach aus der Rückschau erzählt, sondern vom fiktiven Erzähler (einem Jäger) einem Wissenden (seinem Burschen) gesprächsweise abgefragt. Diese Gesprächsform verlebendigt die Reflexion, den Kommentar, das abwägende Urteil. Was wir mit dem Erzähler erfahren, sind die spärlichen Nachrichten vom geistigen Erlöschen und schließlichen Freitod der Leidenden.

> Drum scharrte man sie ins Dickicht dort,
> Wie eine verlorene Seele.
> Ich schwieg und sandte den Burschen fort,
> Brach mir vom Grab eine Schmele:
> „Du armes, gehetztes Wild der Pein,
> Wie mögen die Menschen dich richten!"
> — Sacht pochte der Käfer im morschen Schrein,
> Der Mond stand über den Fichten.

Wie keine frühere Dichtung der Droste nähert sich diese dem Modell der *legendenhaften* Ballade. Wir übersehen nicht die Rückstände der *nordischen* Ballade in der Beschwörung des Unheimlichen, Grausigen (einer „schaurigen Märe") oder in den Elementen der Toten- und Naturmagie (das Wild meidet die Umgebung des Grabes, den Menschen „durchgraut" es „eisig"). Aber diesen Zügen kommt doch nur noch die Bedeutung des Rankenwerks zu. Den Kern des Geschehens bildet das Martyrium einer aus Verantwortlichkeit und in Gewissensqual mitleidenden Seele, die Passion eines von der Gesellschaft geächteten Menschen. Und der Schlußkommentar des Erzählers, der die Unwissenheit und Härte der richtenden Selbstgerechten enthüllt, kann wirksam werden als Erbarmensappell an den Leser.

Züge der *legendenhaften* Ballade gewinnen Vorrang vor denen der *nordischen* auch in einer umfangreichen (70 zehnzeilige Strophen umfassenden) Versdichtung der Droste. Diese 1842 in

Rüschhaus entstandene Dichtung „Der Spiritus familiaris des Roßtäuschers"[74] ist lange den Epen zugeordnet worden. Die Droste selbst hatte sie zu den Balladen stellen wollen, und so ist es nun auch geschehen in der Werkausgabe von Clemens Heselhaus, der in ihr einen „Gipfel- und Höhepunkt deutschen Balladenschaffens überhaupt" sieht[75].

Im Prosavorwort zitiert die Droste ihre Quelle: die „Deutschen Sagen" der Brüder Grimm (1816). Der Sage zufolge ist der Spiritus familiaris (Hausgeist) ein kleines, in einem Gläschen oder einer Schachtel aufbewahrtes Tier, halb Spinne, halb Skorpion (nach anderer Version eine schwarze Fliege) — eine Art Talisman, der dem Besitzer Glück bringt. Wer ihn bis zu seinem Tode behält, der muß mit ihm in die Hölle. Deshalb versucht man seiner rechtzeitig ledig zu werden; aber solange ihn kein anderer aufnimmt, kehrt er zum Besitzer zurück. Von einem Augsburger Roßtäuscher (Pferdehändler) berichtet die Sage, daß sich sein Glück in furchtbares Unglück wandelte, weil seine Frau den Spiritus familiaris heimlich entweichen ließ (nach dieser Version durfte also das Gefäß nicht geöffnet werden). Zwar knüpft die Droste an die Sage vom Roßtäuscher an, nimmt aber andere Motive mit auf, die der Volksglaube hinzugefügt hatte. Das für den Balladenvorgang wohl wichtigste ist dieses: sooft sein Besitzer eine Kirche betritt und betet oder nur sich einem frommen Gedanken überläßt, versetzt ihm der Spiritus familiaris — durch das Glas hindurch — einen Stich, der jedesmal die menschliche Lebenskraft bedeutend verringert.

In sieben Teile ist die Ballade gegliedert. Der Anfang erklärt, was den Roßtäuscher in die Macht des Bösen verstrickt: die Not, die zum Äußersten bereitmacht. Seinen Gang zum Bund mit dem Bösen zu beschreiben, nimmt die Dichterin durchaus die Darstellungsmöglichkeiten der *nordischen* Ballade wahr:

> Da tritt zum Friedhof er hinaus,
> Und vor ihm liegt das öde Haus.
>
> Er starrt es an — ein düstrer Bau!
> mit Zackengiebel, Eisenstangen,
> Vom offnen Tore Nägelreihn
> wie rostige Gebisse hangen ...

Aber es geht der Droste nicht darum, die Form der Schauerballade zu erfüllen. Die Bildlichkeit des dritten Teils, in dem der
verhängnisvolle Bund besiegelt wird, hält die Bildrequisiten
der Schauerballade fern. Sie versinnlicht vielmehr die seelische
Zerrissenheit des Mannes. Denn das aus der Lebens- in die
Seelennot umschlagende Martyrium beginnt schon hier.

> Was er in dieser schweren Nacht
> gelitten oder auch gesündet,
> Er hat es keinem je geklagt...

Und schon in diesem dritten Teil tauchen mehrfach — zunächst
in der allegorischen Darstellung an einem Grabstein — die Bildsymbole für die beiden widerstreitenden Prinzipien auf, für den
Dualismus, der ihn zerreißt — Bildsymbole, die dann in den
beiden Schlußzeilen der Ballade wiederkehren: der Engel und der
Drache bzw. der Engelsflügel und die Drachenkralle.
Im vierten Teil kommt ein bedeutsames Bild und Motiv hinzu.
Kaum im Besitz des fatalen Glücksbringers, sehnt sich der Roßtäuscher schon nach Erlösung von ihm. Und hier bereits trifft ihn
der erste lebenszehrende Stich, als er zum Gebet niederkniet.

> So mochte der verlorne Sohn
> zu seines Vaters Füßen liegen...

Das Bild vom verlorenen Sohne schließt den Sinn des folgenden
Geschehens auf. Der Roßtäuscher ist auf dem Wege der inneren
Heimkehr, zurück zum Heil der Seele. Aber unendlich qualvoll
sein wird dieser Weg im Spannungsfeld der Kräfte, deren Symbole Engel und Drache sind. Daß der Roßtäuscher — wie es der
Besitz des Spiritus familiaris mit sich bringen soll — zu irdischen
Gütern gelangt, wird nur angedeutet; es ist hier nicht von Be-
lang. Das Glücksmotiv der Sage tritt zurück; die Droste interessiert an dem Sagenstoff das Problem des Heilsverlustes. So
sind Vorgang und Sinn der Sage entscheidend umgeprägt: Er-
werb der Glücksgüter unter dem Preis des Seelenheils dort —
Wiedererwerb des Seelenheils unter dem Preis des Lebens hier.
Der Weg zum ewigen Heil aber führt durch ein Martyrium. In
der Figur des Roßtäuschers verschränken sich Gestaltzüge des
Verlorenen Sohnes und des Märtyrers.

> Ein scheuer Bettler, Tag für Tag,
>   so steht er an des Himmels Pforte...
> Schlaftrunknes Murmeln nur — und glüh
>   fühlt ers durch die Phiole ranken...

Die Phiole nun, das Gläschen mit dem Spiritus familiaris, erhält ihr Gegenbild in dem Kristall, der eine Reliquie, einen „Nagel aus des Heilands Wunden", birgt. So wird die Symbolantithese von Drachen und Engel noch einmal variiert und ergänzt. — Eines Tages gewinnt der Kristall unwiderstehliche Anziehung; mit der Reliquie stößt der Roßtäuscher den Pfropfen in die Phiole, so daß der Spiritus familiaris wütend hinausfährt. Aber in diesem Augenblick ist das Haar des Roßtäuschers schneebleich geworden.

Und nun folgt die Droste, im sechsten Teil, zunächst wieder der Volkssage: Das Entweichen des Spiritus familiaris zieht Unglück nach sich. Eine Feuersbrunst vernichtet alle Habe des Mannes. Schwerer aber als der Verlust der Güter wiegt die Verstoßung aus der Gemeinschaft der Menschen, die — ohne Verständnis für den Leidenden wie die Mitwelt in der Ballade „Die Schwestern" — den Unglücksschlag für ein Strafgericht Gottes hält. Dem die Mächte der Hölle nichts mehr anzuhaben vermögen, wird nun die menschliche Gesellschaft zur „Hölle".

> Mit vierzig Jahren sicher Greis,
>   ist er von Land zu Land geschlichen,
> Hat seines Namens Fluch gehört
>   und ist zur Seite scheu gewichen,
> Aus mancher Hand, die ihm gedient,
>   hat er das Bettelbrot gebrochen...

Diese Verse stehen bereits im siebten Teil der Ballade, der den Roßtäuscher in seiner letzten Stunde zeigt. Noch einmal vergegenwärtigt sich dem Sterbenden die Zerrissenheit seiner inneren Existenz in den Bildsymbolen des Drachens und des Engels. In einer letzten Vision aber empfängt er die Gewißheit der Gnade. Am Mittag darauf findet man seinen Leichnam.

> Ein kurzer träger Glockenschlag
>   hat zu der Grube ihn geleitet,
> Wo sich der Engelsflügel neigt
>   Und nicht des Drachens Kralle reicht.

Es gibt nur wenige Beispiele in deutscher Balladendichtung, wo ein Sagenstoff den besonderen künstlerischen Absichten so souverän zugeformt ist wie hier. Der sagenhafte Bericht von einem Stück dunkler Magie ist zu einer Versdichtung vom Glaubens- und Seelenmartyrium, zur Märtyrerballade geworden. Und es kennzeichnet das Spätwerk der Droste, daß die Szenerie der *nordischen* Ballade im wesentlichen nur noch als Bildreservoir für die Darstellung religiöser Heillosigkeit dient und von Bildern christlichen Gehalts zunehmend überschichtet wird. Diesem Vorgang entspricht die Hinwendung zur *legendenhaften* Ballade.

5. Zwischen Restauration und Erneuerung der Ballade

Zweimal bemühen sich — nach dem Göttinger Hain — Autoren-
gruppen um die programmatische Pflege oder Wiederbelebung
der Ballade: in der Berliner Gesellschaft „Tunnel über der Spree"
um die Mitte des 19. Jahrhunderts und im „Göttinger Musenalmanach" um 1900. Und in beiden Fällen hat man von Erneuerung der Ballade gesprochen. Man sollte aber nicht länger Erneuerung mit Restauration verwechseln.

Der 1827 vom Journalisten, Literatur- und Theaterkritiker
Saphir gegründete „Tunnel über der Spree" besteht durch sechs
Jahrzehnte hindurch; erst der Naturalismus wischt den litera-
rischen Kreis hinweg, den der spätere Fontane einen „Sonntags-
verein" nannte. Freilich zählt Fontane in seiner Frühzeit, mit
Christian Friedrich Scherenberg und dem Grafen Strachwitz,
und noch in späteren Jahrzehnten selbst zu den bewunderten
Mitgliedern. Vorübergehend gehören dem Kreis auch Theodor
Storm, Emanuel Geibel, Paul Heyse, Felix Dahn und andere in
Berlin weilende Autoren an.

Trotz vielfältiger literarischer Ambitionen rückt bald die Ballade in den Mittelpunkt des Interesses. Der Tunnel habe „im
Sinne einer von Percys altschottischen Volksballaden entscheidend beeinflußten, volkstümlich nordischen Balladenkunst" ge-
wirkt, lesen wir bei dem Historiker des Kreises; er habe die
deutsche Ballade „zu neuer Eigenart und Echtheit" empor-
geführt[76].

In solcher Charakterisierung ist die Balladenproduktion der
dreißiger Jahre nicht einbegriffen, doch bildet auch sie einen
Abschnitt deutscher Balladengeschichte. Unter dem Banner
Uhlands schwärmen die Epigonen aus. Man feiert „Deutsche
Thaten und alten Heldensinn" (Kahlert); in schlechten Versen
bläht sich Kraftmeiertum. Die tönende Hohlheit ist durch das
Beispiel zweier Verse hinreichend erläutert: „Hei Kampfes-

wüthen, hei Schlachtendrang! / Trompetengeschmetter und Hörnerklang!"[77] Historische Balladen, zumal mit Stoffen aus der brandenburgisch-preußischen Geschichte, Sagen-, Ritter- und Sängerballaden überwiegen, aber auch die nordische Mythologie wird mobilisiert. Daneben stehen Versuche im spanischen Romanzenstil. Die von der schwäbischen Dichterschule, zumal von Schwab, bekannte Produktivität — im „Tunnel über der Spree" gleitet sie ab zur uferlosen Balladenpoeterei.

Gegen solchen Hintergrund muß das Talent des jungen Moritz von Strachwitz und die Balladendichtung der vierziger Jahre abstechen. Unter den heroischen oder Heldenballaden des Grafen von Strachwitz ist „Das Herz von Douglas" am meisten gerühmt worden; und alle früheren Lobeserhebungen hat Münchhausen übertrumpft, der neben dieser Ballade nichts Vergleichbares, Ebenbürtiges gelten lassen wollte. Ginge man von den Merkmalen aus, durch welche die „Heldenballade" definiert worden ist, so könnte man dem Gedicht seinen Rang zuerkennen. Fragwürdig würde dann eben der Heldenbegriff selbst. Denn der Heroismus, den die Strachwitzsche Ballade darbietet, entfaltet sich zwar in stürmischer Handlung, ist aber ohne innere Spannung, in bloßer Stärke und blindem Mut sich bekundend — ein rein quantitatives Heldentum. In ihrer Einschichtigkeit hat die Hauptfigur auch mit dem Heldenbild germanischer Heldenlieder nur wenig mehr gemein als den Umriß, die Schale.

Das bestätigt ein Blick auf die wichtigsten Szenen. Graf Douglas ist mit „tausend Helden" aufgebrochen, sein Versprechen zu erfüllen und das Herz des gestorbenen schottischen Königs Robert ins Heilige Land zu bringen. Von übermächtigen feindlichen Scharen gestellt, rüstet er sich zum Kampf und zieht die Kapsel mit dem Königsherzen an den Mund.

> „Und verlasse der Herr mich drüben nicht,
>   Wie ich hier dir treu verblieb,
> Und gönne mir noch auf das Heidengezücht
>   Einen christlichen Schwerteshieb."

> Er warf den Schild auf die linke Seit'
>   Und band den Helm herauf,
> Und als zum Würgen er saß bereit,
>   In den Bügeln stand er auf:

> „Wer dies Geschmeid' mir wiederschafft,
> Des Tages Ruhm sei s e i n !"
> Da warf er das Herz mit aller Kraft
> In die Feinde mitten hinein.
>
> Die Christen „sie ritten drauf und drein".
>
> Von den Heiden allen, durch Gottes Huld
> Entrann nicht Mann noch Pferd,
> Kurz ist die schottische Geduld
> Und lang ein schottisch' Schwert! [78]

Doch auch Graf Douglas liegt, unter sich das Herz des Königs, erschlagen auf dem Schlachtfeld.

Wenn wir heute weit davon entfernt sind, in diesem Gedicht einen Höhepunkt deutscher Balladenkunst zu sehen, so nicht nur deshalb, weil uns ein Leitbild wie das des blindlings tapferen, „würgenden" Helden vergällt ist oder weil wir den wütigen Kampfgeist, mit dem in dieser historisierenden Ballade die Helden gegen die Heiden ziehen, wiedererkennen in Emanuel Geibels „Heroldsrufen" von 1870/71, in der Inhumanität einer nun wirklichkeitsbezogenen Drohung gegen Frankreich:

> „· · ·
> Finster wird sein die Erde
> Und der Himmel voll Glut,
> Bis an die Zäume der Pferde
> Steigen wird das Blut." [79]

Es gilt klarzustellen, daß Strachwitz' „Herz von Douglas" strengen künstlerischen Maßstäben nie standzuhalten vermochte. Hier ist also ein Glanz nicht erst im Laufe der Zeiten stumpf geworden. Darüber kann auch die zweifellos beachtliche Technik im Gebrauch der Chevy-Chase-Strophe nicht hinwegtäuschen. Denn sie vermag die hohle Theatralik des Heldenbildes nicht zu verdecken, eine Theatralik, die dem Kulissenlärm der Schlachten in den Tunnel-Balladen der dreißiger Jahre so fern nicht steht. Der Gipfel der donnernden Gebärdenpathetik ist erreicht, als Douglas das Herz unter die Feinde schleudert und das Heer nachstürzt wie eine Meute. Aber selbst im „Schlußtableau" — der Schild des Gefallenen schirmt das Herz des Königs — bleibt noch heroische Posenhaftigkeit erhalten.

Die jähe Gestik, die aggressiv-kämpferische Haltung des Helden und der Geist der Unversöhnlichkeit bestimmen das Strachwitzsche Gedicht als *nordische* Ballade. Ein Vergleich mit Fontanes „Archibald Douglas" [80] bietet sich nicht nur der Namensgleichheit wegen an: beide Balladen sind als Heldenballaden klassifiziert worden, in beiden verraten sich Anregungen von der altenglischen bzw. altschottischen Volksballade, in beiden ist die Chevy-Chase-Strophe verwendet, beide Balladen schließlich wurden bei einem Stiftungsfest des „Tunnels über der Spree" vorgelesen (die eine 1843, die andere 1854). Fontane fand den Stoff in Walter Scotts Sammlung „Minstrelsy of the Scottish Border" (4. ed. 1810); aber er weicht in einem entscheidenden Punkt von der Vorlage ab: er ändert den Schluß. Über die Konsequenzen wird noch zu sprechen sein. Vergegenwärtigen wir uns zunächst den Balladenvorgang.

Graf Douglas lebte, Schuld seiner Brüder büßend, in der Verbannung. Nun ist er in seine Heimat zurückgekehrt, willens, ohne Stolz vor den König zu treten.

> Ich hab' es getragen sieben Jahr
> Und ich kann es nicht tragen mehr!
> Wo immer die Welt am schönsten war,
> Da war sie öd' und leer.

> Ich will hintreten vor sein Gesicht
> In dieser Knechtsgestalt,
> Er kann meine Bitte versagen nicht,
> Ich bin ja worden alt.

Die Begegnung droht unheilvoll zu enden, denn nur einen Augenblick lang gibt sich König Jakob der Erinnerung an jene Zeit hin, da der Bittende sein Lehrer war; unerbittlich bleibt sein Haß gegen das Geschlecht der Douglas. Erst die Gesten äußerster Erniedrigung und Demut lösen die starre Unversöhnlichkeit des Königs.

> Zu Roß, wir reiten nach Linlithgow,
> Und du reitest an meiner Seit',
> Da wollen wir fischen und jagen froh,
> Als wie in alter Zeit.

Ein wenig zu beredt mag das Gefühl der Heimatliebe und -treue sein; ein leichtes Zuviel in den Demutsgesten könnte verstimmen — aber nirgendwo veräußerlichen sich Gefühl und Gesinnung in der leeren Effektgebärde, weder bei Archibald Douglas noch bei seinem Gegenspieler. Ungleich größer als in der Strachwitzschen ist deshalb die innere Wahrhaftigkeit des „Heldentums" in der Fontaneschen Ballade.

Die Geschichte in Scotts Sammlung, von der Fontane ausgeht, endet tragisch-unversöhnlich; sie bot den Stoff zu einer *nordischen* Ballade. Und die Freiheit, die sich Fontane gegenüber der Vorlage bewahrt, dient zu mehr als zur Auflösung des tragischen Schlusses. Denn nicht als künstlerischer Bruch wird der befreiende Ausgang des Geschehens empfunden. Die neue Fassung des Endes wirkt zugleich im Sinne eines neuen organisierenden Prinzips, welches das Ganze durchdringt und die Substanz des Heldenbildes und die Struktur der Ballade von Grund auf verändert. Die Verlagerung des Konflikts in seelische Vorgänge und Spannungen sprengt die Starrheit des Heldentypus und überführt das Gedicht in die Form einer *legendenhaften* Ballade. Tiefe Leidenserfahrung fordert Gnade heraus, Menschlichkeit besiegt das Feindschafts- und Rachedogma, der Knecht „überwindet" den Herrn. Gewiß bleibt Fontanes Ballade in Stoff- und Figurenwahl an eine feudale Sphäre gebunden, so daß dem Vergleich mit Balladen Brechts enge Grenzen gezogen sind. Und doch man darf in diesem Zusammenhang auf Brechts „Legende von der Entstehung des Buches Taoteking" verweisen, wo der Knabe die Erkenntnis des weisen Laotse in ein Bild faßt, das auch den Vorgang in „Archibald Douglas" annähernd umschreibt:

> Daß das weiche Wasser in Bewegung
> Mit der Zeit den mächtigen Stein besiegt.
> Du verstehst, das Harte unterliegt[81].

Freilich ist „Archibald Douglas" nicht für Fontanes gesamtes Balladenschaffen kennzeichnend. Das Vorbild der altenglischen Volksballade bindet über die Jahrhundertmitte hinaus einen wesentlichen Teil der Dichtung an das Modell der *nordischen* Ballade, so bemerkenswert auch die psychologische Vertiefung

91

von Figur und Vorgang ist. Von Anfang an aber mildert ein Realismus, der sich schon in der sozialen Ballade nach zeitgenössischem englischem Muster bzw. nach der Art der Ballade Chamissos ankündigt, jegliche heroische Darstellung ins „Menschliche": Fontane holt den Heldentypus Strachwitzscher Prägung wieder vom Podest. Dafür sind einige der Balladen nach Stoffen aus der preußischen Geschichte beispielhaft, die 1850 unter dem Titel „Männer und Helden. Acht Preußenlieder" erscheinen.

Schon der erste bedeutende Vertreter der historischen Ballade, Uhland, entnahm seine Stoffe mehr und mehr der heimischen, nämlich der schwäbischen Geschichte. Insofern setzt der im brandenburgischen Neuruppin geborene Fontane Uhlands historische Ballade mit seinen Preußenliedern fort. Aber während sich Uhland ins ferne Mittelalter zurückwandte, hält sich Fontane an die durch Erinnerung fast noch lebendige Vergangenheit, an das friderizianische Preußen des 18. Jahrhunderts oder — mit der Ballade „Schill" — an die Zeit der Freiheitskriege. Das sichert seinen historischen Gestalten größere Gegenwartsnähe. Zudem tilgt eine relativ demokratische Gesinnung, die schon den jungen Fontane für die Ideen der Jungdeutschen aufschloß und sich in politischer, den Herweghschen „Gedichten eines Lebendigen" nahestehender Lyrik Ausdruck verschaffte, das spezifisch aristokratische Moment. Es herrscht eine Blickweise vor, die über anekdotische Züge hinter der historischen, ruhmreichen Figur die menschlichen Bedingtheiten auffindet. Solcher Blickweise entspricht ein zugleich realistischer und humoristischer Stil. Obwohl die Preußenlieder den Heldenbegriff noch mit dem Soldatischen verknüpfen — mit den Namen friderizianischer Feldherrn —, ist das Militärische weitgehend neutralisiert. Nicht zufällig hielt Fontane selbst das Lied vom „alten Derffling" für das beste. Die Ballade verfolgt die Laufbahn Dörflingers von der Schneiderwerkstatt über die glänzende militärische Karriere bis zum stillen Tod des greisen Kranken. Die anekdotisch-humoristische Darstellung ruft immer wieder den Gegensatz zwischen dem Schneider- und dem Kriegerhandwerk in Erinnerung und beutet ihn zu immer neuen Parallelisierungen oder Wortspielen aus. Statt der Nadel führt der Dörflinger den Säbel, um dem Feinde was an die Kleider zu flicken; an Spöttereien legt der

Feldmarschall sein Ellenmaß. Solche Heldendarstellung vermeidet jegliche panegyrische Verherrlichung preußischen Soldatentums. Das Nur-Militärische ist Fontane immer fragwürdig gewesen. In „Kriegsgefangen. Erlebtes 1870", nach drei siegreichen Kriegen, hat er es klar ausgesprochen: „Die bloße Verherrlichung des Militärischen, ohne sittlichen Inhalt und großen Zweck, ist widerlich."[82]

Die seelische Differenzierung der Gestalt in jenen Balladen der fünfziger Jahre, deren Höhepunkt und Abschluß „Archibald Douglas" (1854) bildet, leitet bereits die Abkehr Fontanes von der Heldenballade ein. Ja, mit gewonnener Meisterschaft erschöpft sich das Interesse und stärkt sich das Ungenügen an der Ballade überhaupt in merklicher Weise. Der dritte Aufenthalt in England, zwischen 1855 und 1859, entfremdet den Dichter dem Berliner „Sonntagsverein", auch wenn im Jahre des deutsch-dänischen Krieges die Ballade „Gorm Grymme" vom „Tunnel" noch preisgekrönt wird. Seit 1866 bleibt Fontane den Sitzungen fern; die Trennung von der Gesellschaft und von der Balladengattung erklären sich wechselseitig. Die journalistische Tätigkeit, Reiseberichte wie die „Wanderungen durch die Mark Brandenburg" (1862 ff.), vor allem aber die seit dem Ende der siebziger Jahre in rascher Folge erscheinenden Romane drängen ihn von einer Gattung ab, die seiner realistisch-psychologischen, der Geselllschaft zugewandten Blickweise künstlerisch nicht mehr angemessen war und die ihm durch den wahllosen Balladenenthusiasmus des 19. Jahrhunderts wohl auch kompromittiert sein mochte. Denn in der liebenswürdigen Selbstpersiflage der bekannten Verse „An Klaus Groth" (1878) spricht sich doch zugleich das Urteil über die Balladendichtung eines guten halben Jahrhunderts aus — eine Kritik am „Balladenkroam", am allzu „Spektakulösen" der historischen Ritter- und Heldenballaden, die das Unbehagen des heutigen Lesers schon vorwegnimmt:

> So gung dat männig, männig Joahr,
> Awers as ick so rümmer und fortig woahr,
> Doa seggt' ick mi: „Fründ, si mi nicht bös,
> Awers all dat Tüg is to spektakulös,
> Wat süll all de Lärm? Woto? Upp min Seel,
> Dat allens bummst und klappert to veel[83].

Freilich geht eine balladeske Sicht- und Darstellungsweise nicht ganz verloren. Man hat von der balladischen Atmosphäre in Fontanes ersten Romanen gesprochen. Und eine bewußte Wiederaufnahme sieht sogar das Projekt zu dem Roman „Die Likedeeler" vor, in dem der alte Balladenstil und die moderne, realistische Romankunst verbunden werden sollten [84].

Eine gewisse Treue und eine bedingte Rückkehr zur Ballade in der Spätzeit bekundet sich aber auch unmittelbar. Drei Balladen zumindest sind zu nennen, die in je verschiedener Weise Antwort auf die Problematik des Heldenbegriffs geben: „Die Brück am Tay" (1880) und die in den späteren achtziger Jahren entstandenen „John Maynard" und „Herr von Ribbeck auf Ribbeck im Havelland".

Um die Wende zum Jahr 1880 berichten die Zeitungen über ein Eisenbahnbrücken- und Zugunglück bei Dundee in Schottland, und noch in der ersten Hälfte des Januar veröffentlicht Fontane „Die Brück am Tay". Solche Anknüpfung an ein aktuelles Ereignis ist in der Geschichte der deutschen Kunstballade nicht unbedingt neu. Schon Bürgers „Lied vom braven Mann" (1777) geht auf eine Nachricht über eine Wasserkatastrophe zu Verona im Jahre 1776 zurück. Noch unmittelbarer an ein sensationelles Tagesgeschehen schließt sich Goethe in „Johanna Sebus" (1809) an: die Ballade gründet auf einem Bericht, den der Dichter zugeschickt bekam mit der Bitte, die Tat eines siebzehnjährigen Bauernmädchens zu verewigen, das bei einem Deichbruch in der Nähe von Cleve eine Familie zu retten versuchte und selbst ertrank. Während aber bei Bürger und Goethe das balladische Ereignis noch reine Naturkatastrophe ist, bricht in Fontanes „Die Brück am Tay" das Verhängnis ins Gefüge der technischen Zivilisation ein, so daß hier dem Balladenstoff nicht mehr nur Aktualität, sondern auch spezifische Modernität eignet. Wertet man freilich „Die Brück am Tay" als dokumentarische Ballade, so bleibt sie hinter dem Gedicht Goethes zurück. Denn wo in „Johanna Sebus" der Dichter auf jeden übersinnlichen Apparat verzichtet und sich an die tatsächlichen Vorgänge der Wasserkatastrophe und der Rettungstat des Mädchens hält, stellt Fontane das Unglück als den Eingriff dämonischer Naturwesen dar, die zwar nur als Stimmen sinnlich in Erscheinung treten, die man sich aber als Hexen denken darf. Darauf weist das vorangestellte Motto aus dem Dialog der Hexenszene in Shakespeares „Macbeth": "When shall we three meet again?" In der dreigliedrigen Ballade gehören der Anfangs- und Schlußteil dem Gespräch der Stimmen, der Rahmen führt also das Komplott und den Triumph der Hexen vor. So wird die schottische Eisenbahnkatastrophe zum Exempel dafür, daß die Technik den Menschen nicht zu sichern vermag, daß er von den elementaren Kräften der Natur umdroht bleibt. Solche Auffassung rückt weit ab von allen überzogenen Äußerungen eines Fortschrittsoptimismus, wie ihn in der zweiten Hälfte des 19. Jahrhunderts die technische Evolution heraufführt. An eines der literarischen Zeugnisse hat in diesem Zusammenhang Fritz Martini erinnert, an das Manifest in Friedrich Spielhagens „Beiträgen zur Theorie und Technik des Romans" von 1883: „Es ist das trotzige Glaubensbekenntnis des Prometheus, es ist sein demütig stolzes Wort: ‚Hast Du nicht alles selbst vollendet, heilig glühend Herz!', was wir sichtbarunsichtbar auf die Stirn jeder Lokomotive geschrieben sehen, die über himmelhohe Brücken und durch schwarze Tunnel, schwarz wie der Erebus, dahin donnert; was hörbar-unhörbar jeder Telegraphenapparat in tausendfältigem Takt und Rhythmus tickt und hämmert." [85] Wäre nicht die Ballade früher erschienen, man möchte die Sentenz „Tand, Tand / Ist das Gebilde von Menschenhand" für eine Replik Fontanes auf diese prometheische Selbstapotheose halten.

Zu bewundern ist Fontanes Verwendung von Mitteln der knappen Andeutung, die das Entsetzliche der Katastrophe fühlbar machen, ohne sie zu schildern. Doch bleibt zu fragen, ob mit dem Rückgriff auf die Hexenvorstellung jene Naturgewalten, die das Werk der Technik zerstören, künstlerisch angemessen versinnlicht sind. Zu gewaltsam wird hier die technische Katastrophe in den Rahmen der naturmagischen Ballade zurückgezwungen.

Hat in „Die Brück am Tay" das Verhängnis — wie die apokalyptische Bildlichkeit des Verses „Und jetzt, als ob Feuer vom Himmel fiel'" es andeutet — noch etwas vom Charakter des Strafgerichts, so trägt in „John Maynard" (erschienen 1886) selbstlose Pflichterfüllung des im technischen Dienst stehenden

Menschen den Sieg über die entfesselten Elemente davon. Wir haben also in den beiden Balladen zwei gegensätzliche dichterische Antworten auf die Situation der modernen Gesellschaft und Arbeitswelt.

Wiederum dürfte — wir kennen Entstehungsdatum und Stoffquelle der Maynard-Ballade nicht — eine Zeitungsnachricht Anstoß und Anregung gegeben haben. Aber mit dem Bericht über einen Schiffsbrand auf dem Eriesee, der in der Chronik der Stadt Buffalo zu finden ist, hat die dichterische Darstellung der Opfertat des Steuermanns John Maynard nur äußerliche Details gemeinsam. Deutlich werden so Fontanes Kunst der spannungsvollen Erzählung und seine Heroisierungsabsicht. Die Dramatisierung des Stoffes wird erreicht durch den ständigen Wechsel von Erzählerbericht und Dialog und durch die Zuspitzung des Dialogs in immer drängenderen Fragen und Rufen. Spannungerzeugend wirken vor allem die Zeitangaben in den Schlußversen der Strophen des Mittelteils. Wie in Schillers „Bürgschaft" vollzieht sich eine Entscheidung auf Leben und Tod innerhalb eines genau bestimmten zeitlichen Rahmens: das Geschehen wird zu einem Wettlauf zwischen dem feindlichen Element, dem Feuer, und der Willenskraft und sittlichen Stärke des Menschen. Daß der Steuermann diesen Wettlauf gewinnt und die ihm anvertrauten Menschen rettet, aber — entgegen dem Chronikbericht — den Sieg mit seinem eigenen Leben erkauft, versteht sich aus der Heroisierungsabsicht des Dichters. Anfangs- und Schlußteil der Ballade nähern sich gar der Form des Preislieds. Solche Verknüpfung von Preislied- und Balladenstil begegnet schon in Bürgers „Lied vom braven Mann" und Goethes „Johanna Sebus", wie auch bei Bürger und Goethe bereits das Bild eines altruistischen Helden dem Leben der Gegenwart entnommen wird. Doch ist die besondere Leistung Fontanes von der dichtungsgeschichtlichen Situation her zu bestimmen. Kann die Ballade „Die Brück am Tay", da sie menschliche Ohnmacht sinnfällig macht, als Absage an eine Heldenballade verstanden werden, an deren Ausprägung und Entwicklung in Deutschland Fontane selbst einigen Anteil hatte (ehe er sie in „Archibald Douglas" überholte), so errichtet das balladische Preislied „John Maynard" das Bild eines heldischen

Gegentypus, in dem alle historistische Rittertümelei des 19. Jahrhunderts und die Restauration des nordischen Heroenbildes überwunden sind. Fontanes Ballade erhält ihre literarhistorische Bedeutung durch den beispielhaften Versuch, sittliche Vorbilder in der zeitgenössischen Wirklichkeit, genauer: in der modernen Arbeitswelt, zu entdecken. Wenn von einer Erneuerung der Heldenballade im 19. Jahrhundert gesprochen werden darf, dann am ehesten hier.

Der dramatisch spannenden Darstellung und jeglichen pathetischen und preisenden Tons enthält sich der Dichter in „Herr von Ribbeck auf Ribbeck im Havelland" (1889). Nirgendwo ist die Einsicht, mit der Fontane auf sein früheres Balladenwerk zurückschaute: „. . . all dat Tüg is to spektakulös, / Wat süll all de Lärm?", so sehr in die künstlerische Gestalt eingegangen wie in der schlichten und gelassenen, humoristischen Erzählweise, mit der hier von der gütigen List eines alten Menschen berichtet wird. Man suche in der Literatur des 19. Jahrhunderts eine Ballade, der alles Aufwendige so fremd wäre wie dieser. Gewiß ist die Geschichte von dem märkischen Adligen, der die Kinder an der Fülle seines Obstgartens teilhaben läßt und seinen egoistischen Erben dadurch überlistet, daß er sich eine Birne ins Grab legen läßt, damit ein Baum später die Kinder entschädige — gewiß ist diese Fabel von der Segen spendenden „Hand", die übers Grab hinaus wirkt, kein künstlerischer Vorwurf, der zu interpretatorischem Tiefsinn auffordert. Man möchte sie — wie Max Kommerell „Die wandelnde Glocke" von Goethe[86] — eine „Kindermythe" nennen. Zugleich freilich ist sie mehr: eine *legendenhafte* Ballade von menschlicher Freundlichkeit, die der Weisheit nahesteht. (Und ein weiteres Mal sei auf Brecht verwiesen, für den das Motiv der Freundlichkeit zum bedeutenden lyrischen und balladischen Thema wird.) Sicherlich gibt es in der Geschichte der Gattung genügend Zeugnisse anspruchsvollerer dichterischer Kunst; doch ist diese Ballade eine der humansten, die wir besitzen.

Von den Autoren, die dem Berliner „Tunnel über der Spree" nur für kurze Zeit angehörten, gelangt Emanuel Geibel zu größtem temporären Ruhm. Ist seine frühe Lyrik von Heines Dichtung, vor allem dem „Buch der Lieder", abhängig, so führen von seinen Balladen kaum Linien zu den Romanzen Heines. Eine formgewandte Anpassungsfähigkeit, die ihn in fast allen dichterischen Gattungen einmal Gast sein und nach Belieben Stoffe und Themen wechseln läßt, kennzeichnet auch sein Balladenschaffen. Er bearbeitet nordische Sagen und altbretonische Volkslieder, schlachtet die „Kudrun" und das Nibelungenlied aus, behandelt nicht weniger als viermal das Barbarossa-Motiv, streift in die römische und die schottisch-englische Geschichte und — mit einer Goldgräber-Ballade — ins überseeische Abenteurermilieu.

*

Über die Atelierkunst klassisch-romantischer Epigonen wie Geibel und Heyse führt mit einer neuen Frische der Anschauung und Darstellung, mit einem naturnahen sinnlichen Stil Detlev von Liliencron hinaus. Ihm konnte die konventionelle Ballade nicht unverdächtig sein. Andererseits mußte dem unreflektierten Draufgängertum des Offiziers dreier Kriege und dem naturburschenhaften Temperament des Lyrikers die Gattung der Ballade, wie sie die Überlieferung des 18. Jahrhunderts bot, entgegenkommen; und es verwundert nicht, daß es ihn vornehmlich zur Heldenballade zieht. Hier freilich zeigt die Wiederannäherung an Strachwitz die Grenze, die einer Erneuerung der Ballade bei Liliencron gesetzt ist; nicht selten erschöpft sich das Heldentum in der kraftprotzenden Geste. Herkunft und vorübergehende Amtstätigkeit weisen Liliencron auch an Stoffe der Geschichte Schleswig-Holsteins. In die Welt niederdeutscher Küsten- und Inselbewohner führt seine wohl bemerkenswerteste Ballade, „Pidder Lüng" (1893). Pidder Lüng ist einer der Fischer von Hörnum auf Sylt, die ihr altes Recht der Steuerfreiheit behaupten und gegen die nun der Amtmann von Tondern mit Kriegsvolk und einem Priester heranzieht. In seinem Haus umzingelt und von Beleidigungen geschmäht, greift Pidder Lüng in rasender Wut zu Notwehr und Rache und ersäuft den Amtmann. Er wird ergriffen und durchbohrt, stößt aber im Sterben noch den Wahlspruch und Kampfruf der Fischer hervor (der sich als Refrain durch die Ballade zieht): „Lewwer duad üs Slaav!" — Unverkennbar sind die Züge der *nordischen* Ballade. Man könnte sagen, hier werde das Problem des Kleistschen „Michael Kohlhaas", das Motiv des übersteigerten Rechtsgefühls, vergröbert wieder aufgenommen; denn es bleibt die Frage, ob Entrichtung von Steuern mit Notwendigkeit den Verlust der Freiheit einschließen muß. Doch solche Frage würde wohl den naiven, unerschütterlichen Rechtssinn des Fischervolks bereits verfehlen. Und die Unbeugsamkeit einfacher Menschen zum Vorwurf genommen, den Bereich des sozial Niedrigen für die Heldenballade freigegeben zu haben, macht gerade die besondere Leistung des Dichters aus. Hinter Fontanes „humanisierte" und „demokratische" Form der Heldenballade, hinter „Archibald Douglas" wie hinter „John Maynard", fällt Liliencrons „Pidder Lüng" dennoch zurück. Gewechselt hat wohl der soziale Stand, unverändert aber ist die Haltung, das innere Gesetz des Helden. Den Schritt zum altruistischen, dem Gebot der Vergebung und Nächstenhilfe gehorchenden Helden verwehrt die Bindung an das Modell der *nordischen* Ballade. Immerhin spricht der adlige Dichter dem einfachen Volke Größe zu und behält die Ballade nicht dem Ausdruck eines aristokratischen Standesbewußtseins vor wie Börries von Münchhausen.

Im ganzen vermochte Liliencron jenen neuen frischen Ton, den er in die Lyrik vor der Jahrhundertwende brachte, in der Ballade nicht durchzusetzen. Stärker noch befremdet ein qualitatives Mißverhältnis zwischen eigentlicher Lyrik und Balladendichtung bei Conrad Ferdinand Meyer. Nirgendwo wird die Problematik der Balladengattung in der zweiten Hälfte des 19. Jahrhunderts so offenkundig wie hier. Das erklärt sich zu einem guten Teil aus Meyers Haften an der historischen Ballade. Zwar kann solche Vorliebe bei dem bedeutenden Vertreter der historischen Novelle nicht überraschen, doch scheint der Zwang zur Konvention für den Balladendichter ungleich stärker gewesen zu sein. In der gedrängten Form der Ballade wirkt sich der Griff ins Arsenal historischer Requisiten folgenschwerer aus. Was wir an C. F. Meyers Lyrik als relativ modern bewerten, eine bewußte, artistische Setzung des Symbols — dieser dichterische Symbolismus begegnet (oder gelingt) in der Ballade selten. Noch am reinsten erscheint er wohl in „Die Rose von Newport" (bekannt vor allem in der Fassung von 1882). Die Ballade verdient besondere Beachtung auch, weil sie ein von Heine behandeltes Thema neu ergreift: das Motiv der Hinrichtung Karls I. von England. Wie bei Heine wird die Enthauptung selbst nicht Geschehensgegenstand, sondern im dichterischen Bild angedeutet und antizipiert. Die Funktion der Vorwegnahme, die bei Heine das Wiegenlied übernahm, ist hier vor allem dem Symbol der Rose übertragen. Glück und Fall des Königs werden an nur zwei Situationen, an dem Einzug des Jünglings und dann des Flüchtlings in die Stadt Newport, symbolisch vergegenwärtigt. Das ästhetisch-formale Ebenmaß der Ballade tritt klar, vielleicht überklar hervor in der strengen Parallelität der beiden Teile (bzw. Situationen), genauer: in der minuziösen Umkehrung und Gegensätzlichkeit innerhalb der Parallelität. Ein Gitter von Verweisungen, in dem die Rose als Leitsymbol auftaucht, überzieht die Ballade. Solche nicht nur sinnvertiefende, sondern strukturbestimmende Bedeutung des Symbols rechtfertigt es, von Symbolismus zu sprechen.

Aber darin ist „Die Rose von Newport" nicht typisch für die Balladen C. F. Meyers. Trotz Mannigfaltigkeit der Stoffe und vielfach durchgefeilter Form hat die Ansammlung des historischen Zubehörs gelegentlich jenes Bedrückende, das der Besucher eines mit Ritterrüstungen vollgestellten Museums empfindet. Und ausgerechnet C. F. Meyer blieb es vorbehalten, den Schwert-Fetischismus der Ballade des 19. Jahrhunderts auf die Spitze zu treiben — und ad absurdum zu führen: in „König Etzels Schwert" (1879). Selbst Strachwitz' Ballade vom „würgenden" Helden wird in dieser schaurigen Mär von dem „würgenden" Schwert Etzels, das ein Ritter im Waffensaal für sein zerbrochenes eintauscht, noch überboten:

> Und wieder sprengt er in den Kampf.
> „Du hast dich lange nicht geletzt,
> Schwert Etzels, an des Blutes Dampf!
> Drum freue dich und trinke jetzt!"
>
> Er schwingt es weit, er mäht und mäht,
> Und Etzels Schwert, es schwelgt und trinkt,
> Bis müd die Sonne niedergeht
> Und hinter rote Wolken sinkt.

Als längst er schon im Mondlicht braust,
Wird ihm der Arm vom Schlagen matt.
Er frägt das Schwert in seiner Faust:
„Schwert Etzels, bist du noch nicht satt?

Laß ab! Heut ist genug getan!"
Doch weh, es weiß von keiner Rast,
Es hebt ein neues Morden an
Und trifft und frißt, was es erfaßt.

„Laß ab!" Es zuckt in grauser Lust,
Der Ritter stürzt mit seinem Pferd
Und jubelnd sticht ihn durch die Brust
Des Hunnen unersättlich Schwert[87].

Was immer man aus diesen Versen herauslesen und -deuten könnte: die Dämonie des Instruments, das sich den Menschen untertan macht, die verschärfte Fabel und Lehre des Goetheschen „Zauberlehrlings", die symbolische Wiederbeschwörung einer historischen oder die Erahnung einer künftigen barbarischen Epoche — alles das ändert nichts daran, daß dieses Gedicht ins Monströse entgleist. Denn kein erzählerischer Vorbehalt, kein grotesker Stilzug schafft von dem Geschehen Distanz. Die Sprache verharmlost, ja macht gar das Ungeheuerliche gefällig. Derartige Verse ließen sich nur als das vertreten, was sie der gewählten Form und der dichterischen Absicht nach nicht sind: als Parodie. Ich begreife nicht, warum diese Ballade auch in neueren Anthologien und Auswahlsammlungen immer noch mitgeschleppt werden muß.

Was C. F. Meyer zu geben vermochte, zeigt die in der frühen Fassung als „Der Hugenot" bezeichnete, später unter dem Titel „Die Füße im Feuer" erschienene Ballade, die man ohne Einschränkung zu den bedeutenden Beispielen der Gattung im 19. Jahrhundert rechnen kann. Auch hier verrät sich eine Vorliebe Meyers für krasse, grelle Situationen, doch wird der Grauenseffekt aufgefangen durch nur mittelbare Ereignisdarstellung, durch stauende Sprachfügungen, symbolische Verweisungen auf Seelisches und das Einbezogensein in einen Sinnzusammenhang von hoher Würde. Von äußerster Gespanntheit ist das Geschehen, das einen Kurier des französischen Königs bei einem Gewittersturm in das Schloß gerade jenes hugenottischen Edelmanns führt, dessen Frau er vor drei Jahren während einer Hugenottenjagd im Feuer zu Tode folterte. Aber die Erwartung der Rache, die der Leser mit dem Kurier teilen mag, erfüllt sich nicht: am andern Morgen läßt der Gastgeber — das über Nacht ergraute Haar bezeugt noch zeichenhaft den schweren inneren Kampf — den Mörder seiner Frau davonziehen, und das Schlußwort verdeutlicht noch einmal, daß über den Vergeltungsdrang das Glaubensgebot siegte: „Mein ist die Rache, redet Gott." — Der Dichter verzichtet auf Reim und Strophenschema. In sechsfüßigen Jamben und in Versgruppen unterschiedlichen Umfangs schafft sich der Erzählerbericht einen verhältnismäßig freien Rahmen. Aber diese Freiheit wird weder für lang ausschwingende Perioden noch für eine Einheit von Vers und Satz genutzt; jede glatte Fügung ist vermieden. Nebenordnung, äußerste Knappheit und zum Teil Auslassungen kennzeichnen den Satzbau. Das Zerteilte und Stoßhafte in Vers und Syntax hilft die Aufgewühltheit und seelische Zerrissenheit der beiden feindlichen Männer versinnlichen. Die Kunst der Andeutung, ja Verdeckung bewährt sich vor allem darin, daß der sinntragende Vorgang im Hintergrund bleibt: nämlich die hart errungene Selbstüberwindung des hugenottischen Edelmanns. Der Bericht des Erzählers folgt fast ausschließlich der Perspektive des Gastes: von s e i n e m Erschrecken, von seinen Erinnerungsbildern, seinen Ängsten und Sicherheitsvorkehrungen, von seinem bedrückenden Traum erfahren wir. Nur ein paarmal tritt der Gastgeber kurz ins Blickfeld. Doch beseitigt der Schluß allen Zweifel daran, daß er die Hauptfigur dieser Ballade ist. Und Problembehandlung, Geschehensabschluß und Aufbau der Figur zeigen, daß in „Die Füße im Feuer" der dichterische Entwurf zur *legendenhaften* Ballade neigt. Weitaus sparsamer und verhaltener als etwa in Fontanes „Archibald Douglas" wird Seelisches signalisiert. Dennoch kann man Walter Müller-Seidel darin zustimmen, daß hier der Dichter — Schillers Forderung gemäß — mit seinem Zeitalter fortschreitet, indem er das im späteren 19. Jahrhundert allgemeine Interesse am Psychologischen für die Ballade fruchtbar macht[88].

*

In Börries von Münchhausens Abhandlung „Zur Ästhetik meiner Balladen" (1906/07) lesen wir:

Die königliche Dichtung, die farbensprühende, lebenzitternde, starke Ballade ist wieder erwacht, — laßt uns Feste feiern! ...
Das ist die Ballade. Hier jammern nicht kleine Leutchen ihre kleinen Schmerzen aus, hier weht nicht der üble Geruch der Vielen. Große grade Menschen gehen ihre graden Wege, stolz und unbekümmert sind sie und wissen nichts von „differenzierten" Gefühlen. Heiß und jäh sind Haß und Liebe ... Feierlich sind diese Menschen, wie alle, die viel an Höfen waren, — gute Sitte gilt nur dem nichts, der nicht im Herrenstande erzogen wurde. Sie lieben aber auch Lärm und Fröhlichkeit, Kampf und Krieg, Jagd und Feste. Und über alledem liegt der streng stilisierte balladische Ausdruck wie ein Brokatgewand.
...
Mich zog die Sprache des Alten Testamentes an, diese Sprache der Könige und der königlichen Hirten. Denn nichts ist mir fataler als Kleineleutegeruch, Armeleutemalerei, schlesische Waschweibersprache, all das heiße Bemühen, mit subtilsten Mitteln die Sprache und Sprachgewohnheiten der Plebejer nachzuahmen. Mich interessiert der dritte und vierte Stand nur sozial, nicht künstlerisch ...
Adel heißt: Festhalten am Alten, Stolzsein auf Rasse, Religion und Geschlecht, Selbstbewußtsein der vererbten Eigentümlichkeiten an Körper und Seele ... Ich glaube, daß ich so der Dichter des Adels geworden bin ... Es ist kein Tadel, es ist kein Lob, es ist auch nicht gewollt und hat weder politische noch gar soziale Tendenz, dies Urteil. Ich bin, künstlerisch gesprochen, ein Produkt der Reinkultur des Aristokratismus mit allen Vorzügen und allen Nachteilen [89].

Es ist hier nicht der Ort, mit des Freiherrn adligem Selbstbewußtsein zu rechten. Seine poetischen Folgerungen haben uns zu beschäftigen. Seltsam archaisch wirken die Bindung der Ballade an ein Standesgefühl und der Versuch, die Gattung gegen alle Demokratisierungserscheinungen zu sichern. Man wird erinnert an die sog. Ständeklausel für das Drama, die der Tragödie Personen fürstlichen Standes zuwies, die aber bereits im 18. Jahrhundert durch das bürgerliche Trauerspiel und seine Theorie endgültig überholt wurde. Wer noch um 1900 auf eine dichterische Gattung adlige Reservatansprüche erhob, konnte nur einem entwicklungsgeschichtlichen Anachronismus das Wort reden. Und nahezu naiv mutet Münchhausens Versicherung an, die Ausweisung des dritten und vierten Standes aus der Kunstwirklichkeit der Ballade schließe kein politisch-soziales Urteil ein. Er vor allem ist dafür verantwortlich, daß die Ballade als eine restaurativen Zwecken verpflichtete, als eine überlebte Gattung in Mißkredit geraten konnte. Der Ausrufer der Ballade tat alles, sie auch in Verruf zu bringen.

Dies hat man sich zu vergegenwärtigen, wenn man von der sog. Göttinger Erneuerung oder von sog. Renaissance der Ballade um 1900 hört. Daß sich freilich in der Ära der Göttinger Musenalmanache zwischen 1895 und 1905 mehr regte, als Münchhausen innerlich billigen mochte, und daß er es gleichwohl gelten ließ, wird noch deutlich werden. Vereinfachungen sind auch hier nicht am Platz. Aber er selbst versteht unter „wiedererwachter" Balladenwelt doch die von Reiterlärm und Schwerterklang erfüllte Welt der Heldenballade Strachwitzscher Art, und das ist eine romantisierte und heroisierte Welt der Ritter. Und es stimmt bedenklich, wenn man noch heute in der Interpretation einer seiner Balladen die Sätze liest: „... wer hat wie er menschliches Leben so sinnenprall gestaltet in der Begegnung mit Schicksalsmächten und aus dem Vorlaufen in den Tod gedeutet, Kind seiner Zeit und anderen voraus?" [90] Seiner Zeit voraus war gewiß nicht der, dessen Blick sich mit restloser Einseitigkeit rückwärts richtete. Andererseits ist nicht zu übersehen, daß Münchhausen langhin einer der gefeiertsten Autoren war und daß viele der Zeitgenossen seine Ritter zu Leitbildern nahmen. Sicherlich sind die Berichte nicht übertrieben, wonach Soldaten des Ersten Weltkriegs mit Münchhausens Versbüchern im Tornister ins Feld zogen (was gemeinhin nur für den Faust und Hölderlins Gedichte sprichwörtlich geworden ist). Aber ebender Weltkrieg mußte auch zum Prüfstein der Ritter- und Heldenballade werden. Denn in den riesigen Materialschlachten erwies sich das frischfröhliche Drauflosreiten, das unproblematische Heldentum der Rittergestalten als eine sträfliche Beschönigung dessen, was dem Menschen an innerer Kraft zum Kämpfen und Sterben abverlangt wurde. Gegenüber den Bedingungen, die eine moderne Kriegstechnik heraufführte, nimmt sich dieser Balladenheroismus wie blutiger Hohn aus. Da hilft auch nicht der Hinweis auf dauernde innere Werte; in der Absage an alles „Differenzierte" klammert sich die Münchhausensche Balladenpoetik an ein Heldenidol, das wirklicher Erprobung und Erfahrung nicht mehr standhielt. Nicht zuletzt daraus hat die expressionistische Kriegsgeneration Konsequenzen gezogen, welche die Gattung als Ganzes betreffen. Unter den Formen expressionistischer Dichtung finden wir die Ballade kaum. Hier bedauernd von einer Gefährdung der Ballade sprechen — wie es geschehen ist —, heißt die Folgerichtigkeit der Entwicklung leugnen. Eine tatsächliche Erneuerung der Ballade mußte zunächst mit dem unglaubwürdig gewordenen Heldenbild aufräumen. Wir werden uns dieser Einsicht zu erinnern haben, wenn wir uns den Anfängen der Brechtschen Ballade, der „Modernen Legende" und der „Legende vom toten Soldaten", zuwenden.

Münchhausen erklärte die Ballade in sehr engem Sinne als *nordische* Ballade. Daß er gleichwohl auch die *legendenhafte* Ballade zu würdigen wußte, zeigt sein Interpretationsband „Meisterballaden". Bedenkt man, daß hier die Autoren mit nur je einer Dichtung vertreten sind, so bedeutet die Entscheidung für Goethes „Der Gott und die Bajadere" einiges. Aus C. F. Meyers Balladen wählt er „Mit zwei Worten" aus: den legendenhaften Bericht von einer Sarazenin, die mit nichts als zwei Namen über Meer und Land zu ihrem Geliebten findet. Und seine eigene spätere „Legende vom Angesicht" will er durchaus als Ballade verstanden wissen. In den Kern seines eigenen Balladenschaffens indessen weisen solche Zugeständnisse nicht. Die in Anthologien immer wieder gedruckte „Glocke von Hadamar" (1900 entst.) kann als Probe aufs Exempel dienen. Der Tod der verfolgten Geliebten des Reichsbarons von Walmarod am Klöppel einer Glocke mag — wie man gesagt hat — „als visueller Eindruck im Gedächtnis" haften[91]. Aber es darf auch nicht verschwiegen werden, daß sich der Eindruck des allzu Gesuchten, Ausgefallenen hinzugesellt. Hier wird der dem religiösen Bereich zugehörige Gegenstand zur Staffage, wird das Sterben auf unmotivierte Weise und in leer bleibender Symbolik sakralisiert. Und das Gebet des Barons um Erbarmen ist eine Formel, die wohl die Ballade wirkungsvoll abschließt, nicht aber ihren Sinn zusammenfaßt. Was an Zügen der *legendenhaften* Ballade auftaucht, bleibt Zusatz — Bestandteil des balladischen „Brokatgewands".

Vieles in Münchhausens theoretischen Darlegungen bezieht sich auf Klangwirkung und Lautsymbolik; und manch Dilettantisches ist darunter. Immer hat er an der Lautgestalt und der rhythmischen Gestalt seiner Gedichte sorgfältig gearbeitet. In einigen romantisierenden, lyrischen Balladen strebt er nach Musikalisierung der Sprache. So in der „Ballade vom Brennesselbusch" (1910 entst.), wo die Anfangs- und Schlußstrophe über nur wenigen Wörtern und Wortstämmen komponiert sind. Solche Auflösung von Sinn in Klang knüpft an Clemens Brentanos Wortmagie an — aber überzieht sie auch. Im übrigen bleiben die lyrischen Töne selten in der Gattung, die er die „königliche" nannte.

Ist Münchhausen Initiator und Führer des Autorenkreises um den Göttinger Musenalmanach, so hebt sich doch von seinem das Balladenwerk der beiden wichtigsten Dichterinnen dieser Gruppe in charakteristischer Weise ab. Dabei steht Lulu von Strauß und Torney Münchhausen sicherlich näher als Agnes Miegel. Aber sie teilt nicht mit ihm die Vorliebe für die ritterlich-adlige Figur. Sie setzt die in Liliencrons „Pidder Lüng" erkennbare Linie fort. Deshalb kann ihre — neue soziale Schichten: Bauern, Knechte, Handwerker, Arbeiter, Seefahrer usw., einbeziehende — Ballade auch nicht mit der sozialen Ballade Chamissos, Herweghs, Freiligraths, Fontanes oder Saars verwechselt werden. Ihre Gestalten sind gelegentlich Komplementärfiguren zu denen Münchhausens; sie aristokratisiert gleichsam die tieferstehende, zumal die bäuerliche Schicht. (Das Wort vom „Bauernadel" drängt sich auf, wenn es auch nicht — im Sinne späterer Autoren wie Hans Friedrich Blunck — als Kenn- und Schlagwort einer Blut- und Bodenideologie verstanden werden darf.) Mit grimmiger Rache setzt sich Bauernstolz gegen Fürstenstolz durch in „Des Braunschweigers Ende" (1902). Und wenn Hans Fromm gesagt hat, daß die Balladen der Lulu von Strauß und Torney „etwas vom Geist und der Tragik des altisländischen eddischen Heldenlieds" atmeten[92], so wird deutlich, in welchem Maße die Dichterin dem Modell der *nordischen* Ballade verpflichtet ist. Doch gibt es auch das abweichende Beispiel: in der Ballade „Der Gottesgnadenschacht" (1926). Ein Geschehen der modernen Arbeitswelt, ein Grubenunglück, stellt als Ereignisrahmen Situationen bereit, in denen zwischenmenschliche Spannungen und Rivalitäten sich zuspitzten — Situationen, die umgekehrt die Darstellung der Bergwerkskatastrophe von innen her dramatisieren. Der in seiner Liebe enttäuschte, eifersüchtige Häuer hat sich, mit Hilfe einer bewußt verzögerten Warnung, seines Nebenbuhlers entledigt. Die Gruppe der Eingeschlossenen kommt überein, ihn verhungern und verdursten zu lassen und so Justiz zu üben. Auch die Warnung Jan Willems, des ältesten der Bergarbeiter, wird mißachtet. Bis zu diesem Punkt eignet dem Balladengeschehen der Zug zu tragischer Härte, Unbedingtheit und Unversöhnlichkeit. Nun aber, angesichts der letzten Lebenszeichen des Verurteilten, folgt der Umschlag, wird das Gnademotiv bestimmend. Freilich führt kein Erbarmensappell, sondern die Anklage Jan Willems die Wendung herbei: „Kumpels. Gott richtet. Aber anders als i h r das macht. / I h r richtet den e i n e n Mörder. Unser Herrgott sieht ihrer a c h t!"[93] Immerhin gibt man dem Mörder die Rechte des Mitmenschen zurück und gewährt ihm den lebensnotwendigen Trunk. Gerettet wird schließlich eine Gruppe, in der die übereilten Leidenschaften befriedet und die Satzungen des zwischenmenschlichen Lebens wiederhergestellt sind. — An die Ballade der Droste erinnert hier die Gestalt Jan Willems, eines Mannes, der das Zweite Gesicht besitzt. Wie die Droste ist Lulu von Strauß und Torney westfälischer Herkunft, und so hat man auf manche Verwandtschaften im Werk aufmerksam gemacht. Tatsächlich kennzeichnet eine relativ enge Bindung an die heimatliche Landschaft die Ballade beider Dichterinnen (wie auch das Werk Agnes Miegels). Doch würde ein genauerer Vergleich eher auf Gegensätzlichkeiten als auf Gemeinsames stoßen, und mit der künstlerischen Tiefe und der sprachlichen Kraft ihrer Dichtung läßt die Droste die Spätere weit hinter sich.

Agnes Miegel knüpft mit einem Teil ihrer Stoffe an eine durchaus noch lebendige, in ostpreußischer Landschaft heimische Überlieferung an. Wie sie aber Sagen- oder Volksballadenstoffe sich aneignet, vermag beispielhaft die „Schöne Agnete" (erstmals im Göttinger Musenalmanach auf 1905) zu zeigen. Erhalten bleibt gedrängtes und im seelischen Vorgang zusammengefaßtes Geschehen. Die Ereignisse der Volksballade (vom wilden Wassermann) sind konzentriert auf jenen Moment, in dem sich alle leidvollen Erfahrungen wie in einem Brennpunkt sammeln und zur Klage drängen. Die Balladensprache gewinnt eine neue Unmittelbarkeit für den verinnerlichten Ausdruck des Leidens. Gedichte wie diese stehen der *nordischen* Ballade wohl auf Grund der Stoffwahl nahe, nicht aber mehr von der Sinnaussprache her. Als ein Gegenbeispiel bieten sich „Die Nibelungen" an (ebenfalls im Göttinger Musenalmanach auf 1905), mit denen die Dichterin — durch andeutende Vorwegnahme künftigen Geschehens in der symbolisch bedeutenden Situation — alle anderen balladischen Behandlungen des Nibelungenstoffes, wie die von Geibel, Dahn oder Münchhausen, künstlerisch übertrifft. Aber dieses Gedicht verdeckt die Tatsache, daß die Ballade Agnes Miegels außerhalb der Tradition der Heldenballade steht. Nicht der kämpferisch heroische, sondern der leidende (freilich unversöhnlich leidende) Mensch ist für ihre Dichtung repräsentativ — davon zeugen zumal „Die Frauen von Nidden" (1907).

So gehen die dichterischen Absichten Münchhausens und Agnes Miegels auseinander. Wie sehr sich beide Autoren des Göttinger Musenalmanachs in ihrer geistigen Grundhaltung unterscheiden, wird durch eine Bemerkung Münchhausens in seiner Abhandlung „Zur Ästhetik meiner Balladen" beleuchtet. Sie steht im Zusammenhang einer Polemik gegen die Tagespresse und bezieht sich zunächst auf seine „Mauerballade", die er so kennzeichnet: „Drei Bilder aus der Revolution sind es, ein Triptychon, dessen Schlußgedanke ist: Mag uns der Pöbel alles nehmen, das was uns zusammenbindet, das Letzte, Feinste kann er uns weder nehmen noch es nachmachen." Man hatte ihm von einer Veröffentlichung des Gedichts abgeraten: „Was ist nicht von den Freunden über die Mauerballade räsonniert!! ‚Drucke es nicht, das läßt dir die „Frankfurter Zeitung" nicht durch!', riet mir ein Freund. Deshalb blieb die Ballade aus dem 1895er

Göttinger Musenalmanach fort. Agnes Miegels *La Furieuse* konnte gedruckt werden. Sie hat die Revolution demokratisch angesehen, ich aristokratisch."[94]

Klar genug bezeichnet Münchhausen den Abstand, und so wird man nicht in Versuchung kommen, Agnes Miegels „Mär vom Ritter Manuel" (1907) für eine der üblichen Ritterballaden zu halten. Ohne Vorbild, eigenwillig und rätselhaft ist diese Dichtung (die zwar am Vers — fünffüßigen Jamben mit umarmendem Reim — festhält, aber auf das Strophenschema verzichtet). Motivische Anregungen wurden, wie die Dichterin angibt, durch Boccaccio sowie durch japanische und chinesische Sagen vermittelt; und wenn auch literarische Quellen noch nicht über die Form entscheiden, so deuten sie hier doch an, daß sich das Gedicht aus dem Bannkreis der *nordischen* Ballade entfernt. Der balladische Vorgang entfaltet eines der großen Themen von Dichtung, die Frage nach den Grenzen zwischen Schein (oder Traum) und Wirklichkeit; und nicht Antwort darf erwartet, ein starker rätselhafter Rest muß in Kauf genommen werden. Am Königshofe taucht der Ritter Manuel sein Haupt in eine Zauberschale, und als er es wieder herauszieht, ist er mit zwanzig Jahren Vergangenheit beschenkt und belastet. Aus langer Abwesenheit ist ihm ein tiefer Gram verblieben: die Erinnerung an den Abschied von seiner Frau, deren Land und Name ihm entfiel. Der König sieht, was als Spiel begann, in der Qual enden und befiehlt, den Zauber zu lösen. Aber der Magier ist verschwunden. Nach Jahren der Erinnerungsqual trifft den Ritter Manuel beim Jagen ein Geschoß, und erst dem Sterbenden fällt der Name seiner Frau, Tamara, ein. — Was bis hierher Manuel zerriß: die Doppelbödigkeit von Raum und Zeit, wird nun den König erschüttern. Denn nach weiteren Jahren trifft, aus einem östlichen Reiche von Tamara geschickt und von einem sternenkundigen Magier hergewiesen, eine Gesandtschaft ein, die ihren Herrscher Manuel sucht, um ihn zu krönen. Der magische Traum Manuels bricht in die Wirklichkeit des Königs ein. War vielleicht die Kraft des Mannes mit der Zauberschale dunkle und falsche Magie, so kann es doch das Wissen des sternenkundigen Magiers nicht sein. Dem König entgleitet das Zeit- und Wirklichkeitsbewußtsein ins Bodenlose. Nachts hört man ihn vor einem Kruzifix rufen:

> „Sieh, keine Antwort find ich in den Psalmen!
> Erbarmer aller Welt, sprich: was ist Schein?"

Ob es eine Antwort gab, erfahren wir nicht. Und selbst der Bericht über das verzweifelte Fragen des Königs wird am Ende ins Rätselhafte gehoben:

> So sagt der Page. Doch er ist noch klein,
> Furchtsam und hat den Kopf voll Märchenflausen ... [95]

Dieser Schluß scheint den gesamten Vorgang in eine unverbindlich phantastische Welt abzuschieben. Aber man täusche sich nicht. Was wie halbe Zurücknahme anmutet, ist nur die verhüllende Schlußgebärde der Dichterin. Hier wird vor die Lösung der Frage nach Schein und Wirklichkeit ein Schleier gezogen, wie er in Schillers parabolischer Ballade „Das verschleierte Bild zu Sais" jene Wahrheit verdeckt, deren Anblick alle Heiterkeit raubt. Die Ballade läßt uns, gleich der Schillerschen, vor dem Geheimnis zurück.

Wenn ein Gedicht davon zu überzeugen vermag, wie sehr Agnes Miegel auf allen „Brokat" der Münchhausenschen Ballade verzichten kann, so „Die Mär vom Ritter Manuel". Gewiß also hat die Dichterin die Ausdrucksmöglichkeiten überlieferter Balladenkunst erweitert. Aber auch sie hält sich abseits jener zeitgenössischen Erneuerungsversuche, welche die Tabus der Ballade des 19. Jahrhunderts durchbrechen.

*

Die deutsche Ballade um 1900 bedurfte keiner „Wiederherstellung", sondern einer Wiederauffrischung, die der erstarrten Feierlichkeit des Balladentons den Garaus machte. Und wenn literarische Fassaden abgeräumt werden, geht es nicht ohne den Mut zur schockierenden Herausforderung. So stellt sich die Wiederanknüpfung an volkstümliche und auch trivialisierte Formen des Bänkelsangs und der Moritat, die im 19. Jahrhundert auf den Jahrmarkt verbannt blieben, als ein Gegenzug gegen Münchhausens Wiederbelebung der Ritter- und Heldenballade dar. Ganz ohne Vorbild im 19. Jahrhundert sind solche Rückgriffe nicht. Der literarisierte Bänkelsang hat seine Vorläufer im gelegentlichen Bänkelsängerstil Heinrich Heines oder im politischen Bänkelsängercouplet Hoffmanns von Fallersleben[96]. Programmatisch aber wird die Wiederannäherung an Bänkelsang und Moritat erst um 1900: vor allem bei Frank Wedekind, auch bei Arno Holz und Christian Morgenstern, nur sehr bedingt im Kreis um das von Ernst von Wolzogen gegründete Kabarett „Überbrettl".

Im Balladenwerk von Arno Holz mischen sich noch traditionelle und provokative Elemente. Es gibt Balladen, die an Theodor Fontane anschließen; am bekanntesten wohl wurde „Een Boot is noch buten" (im „Buch der Zeit" von 1885). Andere setzen die Tradition der sozialen Ballade des 19. Jahrhunderts fort. Seine Annäherung an den Bänkelsang nimmt den Weg vor allem über die Formen der Parodie und Travestie, wobei daran zu erinnern ist, daß eine leicht parodistische Verwendung der Bänkelsängermanier schon im 18. Jahrhundert begegnet: bei den Vertretern der komischen bzw. burlesken Romanze oder im Bänkelsängerlied in Goethes „Jahrmarktsfest zu Plundersweilern". Vielsagend ist bereits der Titel des „Actus primus" in Holzens „Blechschmiede" von 1902: „Der Kampf der Skalden, Barden, Minstrels, Lauten-, Lyrenschläger, Lurenbläser, Tubentuter, Dichter, Wagen, Helden, Rosse und Gesänge". Der Balladenenthusiasmus der Zeitgenossen wird parodiert in dem „mit vollster Lungenflügeldampfkraft sich abarbeitenden Balladerich" Uwe Schievelbein[97]. Aber die Auseinandersetzung mit der Ballade erschöpft sich nicht in spöttischer Entlarvung. Karl Riha hat in seinem Buch zur modernen Ballade nachdrücklich darauf hingewiesen, daß Holz bislang verachtete Sprachbereiche für den Vers zu gewinnen und neben Bänkelsang, Moritat und Chanson auch subliterarische Formen wie Gassenhauer, Klapphornvers oder Schnadahüpfl für die Dichtung fruchtbar zu machen versucht[98].

Dennoch gelingt Holz die sangbare, durch Stoff und Sprachform zündende und zugleich schockierende neue Ballade noch nicht. So wird Frank Wedekind zum bedeutendsten Vertreter der bänkelsängerischen, moritatenhaften Ballade vor Brecht. Daß Wedekind nicht erst einer in Kabarett- und Chansonkunst[99] sich

durchsetzenden neuen Richtung folgt, sondern einem bänkelsängerischen Stil von vornherein zuneigt, beweist ein moritaten-
haftes Gedicht des Siebzehnjährigen, „Auf die Ermordung
Alexanders II." (1881). Bereits hier sind die Stilmittel der späteren Balladen erkennbar, ja zum Teil voll ausgeprägt. Unter
den Balladen, die Wedekind in seine Sammlung „Die vier
Jahreszeiten" aufnahm, haben „Brigitte B.", das Bänkellied vom
verführten und ins Gaunermilieu verstrickten Dienstmädchen,
und „Der Tantenmörder" den stärksten Beifall und die heftigste
Anfeindung geerntet. Die Moritat vom Tantenmörder sei
zitiert:

> Ich hab' meine Tante geschlachtet,
> Meine Tante war alt und schwach;
> Ich hatte bei ihr übernachtet
> Und grub in den Kisten-Kasten nach.

> Da fand ich goldene Haufen,
> Fand auch an Papieren gar viel
> Und hörte die alte Tante schnaufen
> Ohn' Mitleid und Zartgefühl.

> Was nutzt es, daß sie sich noch härme —
> Nacht war es rings um mich her —
> Ich stieß ihr den Dolch in die Därme,
> Die Tante schnaufte nicht mehr.

> Das Geld war schwer zu tragen,
> Viel schwerer die Tante noch.
> Ich faßte sie bebend am Kragen
> Und stieß sie ins tiefe Kellerloch.

> Ich hab' meine Tante geschlachtet,
> Meine Tante war alt und schwach;
> Ihr aber, o Richter, ihr trachtet
> Meiner blühenden Jugend-Jugend nach [100].

Im Unterschied zu „Brigitte B.", wo der Erzähler als Bänkel-
sänger mit Bilderleinwand und Zeigestock gedacht werden kann,
sind Berichterstatter und Moritatenfigur identisch. Der Mörder
steht vor Gericht und schildert die Umstände und den Hergang
der Tat. Daß dennoch auch hier die Struktur des Bänkellieds
zugrunde liegt, kann leicht ein kleines Experiment bestätigen:

der Austausch des Personalpronomens, die Überführung des Berichts aus der Ich- in die Er-Form. Deutlicher tritt so der Bild-Charakter der einzelnen Geschehensstationen hervor, noch klarer scheint durch die Sprechweise die zeigende Geste des Bänkelsängers durch. Doch erweitert gerade die Ich-Form des Erzähllieds die Leistungsmöglichkeiten moritatenhafter Sangesweise. Denn keineswegs wirkt hier das Ich im Sinne lyrischer Stimmungsverdichtung oder Erlebnisaussprache. Den Bericht kennzeichnet völlige Fühllosigkeit. Die Sprechweise des Ich überbietet noch den unbeteiligten, drastischen Erzählton eines Bänkelsängers, und sie kann nicht psychologisch erklärt werden: ein Mörder, der die Richter an seine „blühende Jugend" erinnert, würde sich nicht in der Haltung des Schlächters vorstellen. Sprache und Situation des Angeklagten widersprechen einander. Und selbst auf „mildernde Umstände" bedachte Wendungen, die Hinweise auf das Alter und den Harm des Opfers, werden durch die Zynismen wieder schockhaft entkräftet. Die Sprache baut ein Netz von Widersprüchen auf, in dem sich jegliche Wirklichkeitsillusion verfängt; sie rückt den Vorgang vom Leser oder Hörer ab, sie verfremdet ihn. An der Distanzierung des Geschehens sind komische Mittel nicht unbeteiligt. So wirken Doppelformeln wie „Kisten-Kasten" und „Jugend-Jugend" (zumal beim Gesangsvortrag) komisch-entspannend, auch wohl das Bild von der „schnaufenden" Tante. Aber die Wiederaufnahme des Wortes in der Wendung „Die Tante schnaufte nicht mehr" und gar Sarkasmen wie „geschlachtet" oder „stieß ihr den Dolch in die Därme" können mit der Kategorie des Komischen nicht mehr erfaßt werden. Sie sind Elemente eines grotesken Stils, der weder zum Gelächter noch zur Anteilnahme (sei es mit dem Angeklagten, sei es mit dem Opfer) auffordert, der aber auch die ernste Beklemmung vom Leser oder Hörer fernhält. Welche neuen Möglichkeiten dieser groteske, Motive und Mittel der Volks- und Trivialballade aufnehmende Stil wahrnimmt, macht eine historische Rückschau deutlich. Nichts findet sich in Wedekinds „Tantenmörder" von dem Bedrängenden oder gar Überwältigenden der naturmagischen, Schauer- oder Geisterballade (Herder war nach der Lektüre von Bürgers „Lenore" völlig verstört und glaubte am hellen Nachmittag in der Kirche auf allen

Bänken nackte Schädel zu sehen). Weitab liegt das heroisch Erhabene und Feierliche eines Balladenstils, den Münchhausen erneuern wollte, weitab aber auch das Rührende oder (politisch) Appellierende der sozialen Ballade des 19. Jahrhunderts. Das Herausfordernde in Wedekinds Ballade besteht — historisch gesehen — in der burschikosen Absage an alle vertrauten Vorstellungen von weihevoller Balladenkunst. Er versetzt die Ballade aus dem Tempel der Bildungsgüter und von den Rezitationspodien der Festsäle zwar nicht zurück auf den Jahrmarkt, aber doch auf die aller „Seriösität" spottende Brettl- oder Kabarettbühne; er besinnt sich wieder jenes Profanen, das die Ballade zu Zeiten der Volksballade, des Zeitungslieds und des Bänkelsangs nicht schändete. — Die von den Niederungen her aufgerauhte und aufgefrischte Form wieder zur „Kunstballade" zu stilisieren, war nicht Wedekinds Absicht, lag wohl auch in seinem Vermögen nicht — diesen Schritt zu tun, blieb seinem Schüler Brecht vorbehalten.

Wird man der bänkelsängerischen Ballade Wedekinds nur mit der Stilkategorie des Grotesken gerecht, so bleiben doch die grotesken Elemente relativ gezähmt. Was bei ihm angelegt ist, erscheint in zugespitzter und übersteigerter Form bei Christian Morgenstern. Eines von Morgensterns Gedichten führt die Bezeichnung „groteske Ballade" sogar als Untertitel („Drei Hasen"). Seine „Galgenlieder" von 1905 knüpfen zu einem Teil an bänkelsängerische Henkerslieder an, wobei es freilich die bereits Gehenkten sind, die vom Galgen herunter sprechen. Von Wedekinds „Brigitte B." oder „Der Tantenmörder" unterscheiden sich Morgensterns „Balladen" sehr wesentlich durch die bewußte Auflösung der erzählbaren Fabel, des konkreten Geschehens. Das Groteske streift nicht nur den Bereich des sogenannten schwarzen Humors, sondern spielt immer wieder ins Absurde hinüber. Die Unsinns-Poesie setzt das reine Sprachspiel frei, dessen Wirbel — in den „Drei Hasen" [101] — auch die Bezeichnung Ballade und damit den im Wort liegenden Sinn ergreift. So dienen Balladenmotive nicht als Bauelemente, sondern umgekehrt als Mittel, die Ballade abzuwracken. Hier wird Holzens und Wedekinds Wendung gegen die feierlich-zeremoniöse Balladenkunst zu ihrer letzten Konsequenz getrieben. Der Nonsense erhält seinen Sinn

in der Enthüllung des Unsinns der Ballade. Es ist deshalb die
Frage müßig, ob nicht die Form der Ballade verfehlt sei. Sie
kann nicht verfehlt sein, weil sie gar nicht gesucht wird, genauer:
weil die Ballade als Nicht-Ballade gewollt wird.

Das Motiv der redenden Gehenkten findet sich auch bei Georg
Heym in „Die Toten auf dem Berge" (im Juli 1910 entstanden);
mit mehr Recht in die Geschichte der Ballade aber gehören
Heyms vier Sonette zur Französischen Revolution aus dem Juni
1910. Freilich läßt die Wahl der Sonettform darauf schließen,
daß sich die Absicht des Dichters nicht eigentlich auf Erfüllung
der Balladenform richtet. Der strenge Bau des Sonetts, von Heym
durchaus geachtet, hemmt die Entfaltung balladischen Geschehens. Er begünstigt andererseits eine Konzentration auf den
bedeutenden, prägnanten Augenblick, wie man sie gelegentlich
auch in Romanzen Heines antrifft. Im Sonett „Bastille" liefert
der Ausbruch der Revolution selbst die markante Situation:

> Die scharfen Sensen ragen wie ein Wald.
> Die Straße Antoine ist blau und rot
> Von Menschenmassen. Von den Stirnen loht
> Der weiße Zorn. Die Fäuste sind geballt.
>
> Im Grau des Himmels steigt der Turm wie tot.
> An kleinen Fenstern weht sein Schrecken kalt.
> Vom hohen Dach, wo Tritt der Wachen hallt,
> Das erzne Maul der grau'n Kanonen droht.
>
> Da knarrt ein Tor. Aus Turmes schwarzer Wand
> Kommt der Gesandten Zug in schwarzer Tracht.
> Sie winken stumm. Sie sind umsonst gesandt.
>
> Mit einem Wutschrei ist Paris erwacht.
> Mit Beil und Knüttel wird der Turm berannt.
> Die Salven rollen in die Straßenschlacht [102].

Die in der Sonettform angelegte starke Zäsur — zwischen den
Quartetten und den Terzetten — ist voll verwirklicht. Die beiden
ersten Strophen veranschaulichen eher einen Zustand als einen
Vorgang. Das Geschehen, die Aktion der aufgebrachten Mas-
sen, scheint noch einmal einzuhalten. In den Farbmetaphern wird
schon das Symbol der (vollzogenen) Revolution, die Trikolore,
signalisiert: zum Blau und Rot der Menschenmassen — das sind

zugleich die Stadtfarben von Paris — tritt das Weiß der zornigen Stirnen, die Herausforderung an das Weiß der Bourbonen. Aber noch liegt die Revolution nur auf dem Sprung, noch stehen sich das notdürftig bewaffnete Volk und die „erzne" königliche Macht mit Gebärden drohend gegenüber. In der unheimlichen Konfrontation verharrt die Entscheidung auf des Messers Schneide. Es ist, als ob die Weltgeschichte einen Augenblick lang den Atem anhielte. — Mit dem ersten Wort nach der Zäsur, dem Zeitadverb „da", wird die Wende eingeleitet. Dieses „da" wirkt in der Klanggestalt und Vorgangsentfaltung des Gedichts wie eine Fanfare. Nun lösen sich Zeit und Geschichte aus ihrer scheinbaren Erstarrung. Die Forderung des Volkes ist abgelehnt; und die stumme Geste der Abgesandten gibt das Signal für die revolutionäre Aktion, für die Erstürmung der Bastille. Das letzte Terzett vergegenwärtigt mit der gedrängten Aussage dreier Sätze, in deren Fügung und Abfolge das Wortmotiv „Salven" auch als Formmotiv erkennbar wird, die welthistorische Explosion.

Im Prokrustesbett der Sonettform verbietet sich jegliche erzählerische Abschweifung, ist der erzählerische Fluß wie eingeschnürt. Was die Sonettform für die Ballade zu leisten vermag, zeigt in einmaliger Weise Heyms Gedicht: nämlich ein Geschehen an seinem erregendsten Punkt, im Moment des Umschlags oder des explosionsartigen Ausbruchs, festzuhalten. Ähnliches läßt sich in „Louis Capet" und „Robespierre" beobachten: der zweite Teil des Sonetts erfaßt jeweils den Augenblick, wo sich der Verurteilte dem Schafott gegenübersieht, den Augenblick des Umschlags vom Leben zum Tod. Aber als Erzählgedichte entfalten sich die Balladen nicht voll. Heyms Sonette sind „geschnürte" Balladen.

Dieser lakonische Stil hat das — um noch einmal Münchhausens Wort zu benutzen — balladische „Brokatgewand" abgelegt. Ebensosehr von der Tradition lösen sich Heyms Balladen-Sonette durch die Figurenbehandlung. Wird in „Danton" immerhin noch der Gefangene in einer Situation des Aufbegehrens und des Zusammenbruchs dargestellt, so erscheint in „Robespierre" der Verurteilte sogar angesichts der Guillotine in einem Zustand

116

der Abgestumpftheit, der jeglichen menschlichen Ausdruck zur Fratzenhaftigkeit verzerrt. In „Louis Capet" wird die Gestalt (Ludwig XVI.) überhaupt nicht als Person sichtbar, sondern nur als Gegenstand der Schmähung und als Objekt der Hinrichtungsmaschine. Gegenüber Figuren wie Robespierre und Louis Capet versagt jeglicher Heldenbegriff, auch der des leidenden oder passiven Helden. Sie sind lediglich Opfer einer gnadenlosen Mechanik der Geschichte, die im Bild der Guillotine dichterische Anschaulichkeit gewinnt. Ihnen bleibt nicht einmal mehr jene Möglichkeit zur Reflexion und Rede, die den Gefangenen oder zum Schafott Geführten in Büchners Revolutionsdrama erlaubt, ihrer Situation gegenüberzutreten. Solch radikaler Abbau des Heldenbildes wird auch nicht etwa ausgeglichen durch die Erhebung des revolutionären Volks zur balladischen „Figur". Im Sonett „Bastille" sind die Menschenmassen nur der Rohstoff des historischen Vorgangs; Thema der Ballade ist nicht einmal die Revolution, sondern — wie das Schlußterzett zeigt — das reine Ausbruchsgeschehen. Hier deutet sich ein Zug zur Abstraktion an, der im eigentlichen Expressionismus zu weitgehender Abkehr von der Ballade überhaupt führt.

Jenseits des Expressionismus steht das Balladenwerk von Gertrud Kolmar. Ihre Zyklen „Napoleon und Marie" und „Robespierre" sind zwischen den beiden Weltkriegen entstanden; aber aus der großen politischen Verfinsterung, die über Deutschland hereinbrach, tauchten sie erst spät wieder ans Licht. Die Dichterin ist in einem Konzentrationslager ums Leben gekommen. Das lyrische Werk erschien 1955. Diktion und Bildlichkeit der Dichterin weisen auf den Expressionismus zurück, doch ist ihre Sprache formstrenger und rhythmisch gebändigter als etwa die der Lasker-Schüler. In dem Verfahren, Geschehen zu Gebärden umzustilisieren, erhält sich die Erbschaft des expressionistischen Stils wohl am reinsten. Aus einem der 45 Stücke des Zyklus „Robespierre", aus „Dantons Ende", als Beispiel die 1. Strophe:

> Was klirrt, was wirbelt, dampft und braust,
> Dies Schrein, dies Keuchen, dieses Lallen,
> Das riß er würgend in die Faust,
> Das zwang er klumpig um zum Ballen,

Den seine Rechte wütend hob;
Sein wildes Stierhaupt schwoll: Gelichter!
Er warf den Felsen, ein Zyklop,
Ins Antlitz seiner Richter [103].

Hier stellt sich wieder die heroisch-pathetische Geste her, die aus Heyms Revolutionssonetten so gründlich verbannt war. Dennoch kehrt die Dichterin nicht zur historischen Ballade zurück, der die Geschichte als Fundgrube großer Beispiele diente. Vielmehr hebt sie die im geschichtlichen Geschehen ausbrechende und sich historischer Gestalten bemächtigende Dämonie ins visionäre Bild.

6. Bertolt Brecht

Als im Frühjahr 1918 Frank Wedekind starb, schrieb ihm der zwanzigjährige Bertolt Brecht einen begeisterten Nekrolog. Wenn der junge Brecht eigene Songs und Balladen zur Laute sang, pflegte er auch Wedekindsche Lieder darunterzumischen. Ihm ist, wie Karl Riha in seinem Buch „Moritat. Song. Bänkelsang" sagt, eine echte Weiterentwicklung des Wedekindschen Moritaten- und Bänkelliedtypus gelungen, vor allem in den Balladen „Apfelböck oder die Lilie auf dem Felde" und „Von der Kindesmörderin Marie Farrar" (beide von Brecht in die „Hauspostille" von 1927 aufgenommen). Aber Riha sieht die „moderne Ballade" doch zu ausschließlich vom Bänkellied her. Gewißt steht eine Reihe Brechtscher Gedichte in der Nachfolge des Bänkelsangs, und gewiß wird auch bei ihm diese Tradition wirksam als ein die Balladensprache regenerierendes Element — wie wohl überhaupt seit Georg Büchner kein Dichter so sehr die hochdeutsche Dichtungssprache durch die volksläufige Sprache wieder verjüngt hat. Und es ist paradox genug, daß die nationalsozialistische Dichtung, die volksverbunden zu sein vorgab, sich zumeist in einem geschwollenen, raunenden, pathetisierenden, pseudohymnischen Deutsch erging, dem jeglicher Zusammenhang mit volksgemäßer Sprachtradition fehlte und das sich zum Teil als ein fehlgeleitetes und verflachtes Rinnsal expressionistischer Wortkunst entpuppt. Die expressionistischen Sprachexplosionen ihrerseits hatten eine geschichtliche Aufgabe, zu der es gehörte, die von den Epigonen des 19. Jahrhunderts verbrauchte Dichtungssprache zu zerschlagen. Brecht, vom Expressionismus nicht unbeeindruckt, aber sogleich von ihm abrückend, wählt von vornherein einen anderen Weg: die abgenutzte und abgeschliffene Dichtungssprache durch drastische und knorrige Sprachelemente wieder aufzurauhen. Dabei vermögen Bänkelsang und Moritat Bedeutendes zu leisten. Aber die balladischen

Ausdrucksmöglichkeiten des Dichters sind zu mannigfaltig, als daß sie nur von dieser Tradition her zu erfassen wären.

Schon die beiden ersten balladischen Gedichte, die noch unbeeinflußt sind vom Bänkellied, bilden im Ansatz zwei Grundformen der Ballade Brechts aus. Das eine deutet auf eine für Brecht eigentümliche Ausformung der *legendenhaften* Ballade, das andere auf des Dichters Verhältnis zur *nordischen* Ballade. Es sind die „Moderne Legende" des Sechzehnjährigen und das 1916 entstandene „Lied der Eisenbahntruppe von Fort Donald".

Die „Moderne Legende"[104] erschien am 2. Dezember 1914 in einer Augsburger Zeitung. Der Erste Weltkrieg währte einige Monate; und vom Krieg handelt die Ballade:

> Als der Abend übers Schlachtfeld wehte
> Waren die Feinde geschlagen.

Der balladische Vorgang entfaltet sich nun in einem Dreischritt. Handlung wird nicht durch Aktionen, sondern durch Reaktionen bestimmt. Dreifache Wirkung hat der Ausgang der Schlacht. Im Lande der Verlierer erhebt sich der Ruf nach Vergeltung:

> Tausend Lippen wurden vom Fluchen blaß
> Tausend Hände ballten sich wild im Haß.

Das Land der Sieger ist ergriffen vom Rausch des Triumphs und von nahezu ekstatischer Dankbarkeit:

> Tausend Lippen wühlten im alten Gebet
> Tausend Hände falteten fromm sich und stet.

Und wir vermerken, daß in Brechts erster Ballade Schlacht und Krieg nicht mehr als Handlungsraum des Einzelkämpfers oder der Heere, sondern als Schicksalsraum ganzer Völker erfaßt werden. Aber noch zeigt der Balladenvorgang, auf seinen beiden ersten Stufen, den Krieg als Austragungsstätte für den Freund-Feind-Gegensatz, ja als eine in die Dimension des Völkerkampfes übertragene Auseinandersetzung zweier Helden. Noch scheint es, als habe auch der moderne Krieg einen Sinn als Bewährungssituation für eine unbeugsame, unversöhnliche Haltung, für die

120

es nur Sieger oder Besiegte geben kann. Nun aber folgt, auf der dritten Stufe, die bedeutsame Wendung:

> In der Nacht noch spät
> Sangen die Telegrafendräht'
> Von den Toten, die auf dem Schlachtfeld geblieben ...
>
> Siehe, da ward es still bei Freunden und Feinden.
>
> Nur die Mütter weinten
> Hüben — und drüben.

Im Schlußteil wird die bittere Bilanz gezogen. Angesichts der Toten unterscheiden sich Sieger und Besiegte nicht mehr; gleich ist in beiden Lagern das Leid der Mütter.

Die formalen Schwächen des Anfängergedichts können seine Bedeutung nicht verdunkeln. Etwas für die weitere Geschichte der deutschen Ballade Entscheidendes vollzieht sich in diesem Gedicht des Gymnasiasten. Der Krieg wird nicht mehr wesentlich als Kampfsituation, in der sich Heldentum in Sieg oder Untergang bewährt, sondern als Leidenssituation aller, auch der Überlebenden, gesehen. Schon hier deutet sich an, daß der Krieg dem Dichter als Motiv und Stoff für einen Gegentypus zur Heldenballade, nämlich die — säkularisierte — Märtyrerballade, dient. Was in der „Modernen Legende" keimhaft vorhanden ist, wird später an der „Legende vom toten Soldaten" und am „Kinderkreuzzug" weiterzuverfolgen sein. Es verdient aber festgehalten zu werden, daß am Anfang der Brechtschen Ballade die *legendenhafte* Ballade steht.

Wenden wir uns dem „Lied der Eisenbahntruppe von Fort Donald" [105] zu, so ist ein kurzer Rückverweis nötig. Wir hatten die naturmagische Ballade als eine der möglichen Formen der *nordischen* Ballade erkannt. Die Natur erscheint als ein Gegenüber, dem verführerische und bedrohliche, durch Elementarwesen verkörperte Kräfte innewohnen. Selbst in Fontanes „Die Brück am Tay" werden die dem Menschenwerk feindlichen Naturkräfte noch als übersinnliche Wesen gedacht. In diese literarische Tradition stellt sich, wenngleich mit schwerwiegender Einschränkung, eine ganze Gruppe Brechtscher Balladen, als erste das „Lied der Eisenbahntruppe von Fort Donald". Fort Donald ist der Ausgangspunkt für eine Arbeitertruppe, die quer durch amerikanische Wälder Schienen verlegt. Auch in den anderen Balladen dieser Gruppe bilden ferne Regionen, zumeist auf dem amerikanischen Kontinent, den Geschehensraum, Pioniere oder Abenteurer das Personal. Die Eisenbahnarbeiter stehen im Kampf mit der ungebändigten und unwegsamen Natur:

> Die Männer von Fort Donald — hohé!
> Zogen den Strom hinauf, bis die Wälder ewig und seelenlos sind.
> Aber eines Tags ging Regen nieder und der Wald wuchs um sie
> zum See.

Sie gehen singend in den Tod:

> ... sie sangen so laut, als ob ihnen wunder was Angenehmes
> geschäh
> Ja, so sangen sie nie.

Als die Züge längst über die ertrunkenen Pioniere zum Eriesee sausen, singt der Wind noch immer ihr Lied.

Durch nichts scheint dieses Lied mit der „Modernen Legende" verbunden zu sein. Aber es bleibt nachzutragen, daß der junge Brecht in den ersten Kriegsjahren durchaus auch einige vaterländische, heroische Gedichte verfaßte; so den Nachruf auf den Spion Hans Lody oder das balladische Gedicht „Der Tsingtausoldat". Erst in der zweiten Hälfte des Jahres 1915 bricht diese Reihe der Kriegsgedichte ab. Und es ist wohl, wie es Klaus Schuhmann [106] vermutet: daß die Pionierballade den jungen Dichter für die fragwürdig gewordene Kriegsthematik entschädigen muß. So sind das Lied der Eisenbahntruppe und Balladen späterer Jahre auch Ausbruchsversuche. Was im Europa der Gegenwart nicht mehr zu finden ist, bietet die amerikanische Pionierzeit: Bedingungen für einen menschlichen Expansionsdrang, Stoffe für die Darstellung eines trotzigen Kraftgefühls. Zwar unterliegt in der Ballade von der Eisenbahntruppe der Mensch im Kampf mit der urwüchsigen Natur, die sich für den Eingriff noch einmal rächt, aber die Natur achtet auch den tapferen Menschen und bewahrt das Lied der Pioniere. Einen ähnlichen Tod wie die Eisenbahnarbeiter finden die Seeräuber in der

„Ballade von den Seeräubern"[107] nach einem wüsten, räuberischen, herrischen Leben:

> Noch einmal schmeißt die letzte Welle
> Zum Himmel das verfluchte Schiff
> Und da, in ihrer letzten Helle
> Erkennen sie das große Riff.
> Und ganz zuletzt in höchsten Masten
> War es, weil Sturm so gar laut schrie
> Als ob sie, die zur Hölle rasten
> Noch einmal sangen, laut wie nie:
> *O Himmel, strahlender Azur!*
> *Enormer Wind, die Segel bläh!*
> *Laßt Wind und Himmel fahren! Nur*
> *Laßt uns um Sankt Marie die See!*

Auch hier beherrscht die Geste heroischer Ungebrochenheit das
Ende.

Die dichterisch wohl stärkste der in diesen Zusammenhang ge-
hörenden Balladen ist die — in der „Hauspostille" von 1927 vor
dem Seeräuberlied stehende — „Ballade von des Cortez Leuten"[108]. Als geschichtlicher Hintergrund dient einer der amerikanischen Eroberungszüge des Spaniers Cortez zu Anfang des
16. Jahrhunderts. Aber das Historische ist unwichtig gegenüber
der Situation: wieder dringen verwegene, harte Männer in die
unerschlossene Natur vor. Der Ballade fehlt, gegenüber den anderen, nicht nur der Refrain — den Goethe immerhin zu einem
wesentlichen Kriterium der Ballade erhob —, sondern auch die
strophische Gliederung. Sie besteht aus (unregelmäßigen) Blank-
versen; selbst der das Zeilenende betonende Reim also fehlt.
Enjambements verwischen die Übergänge. Die Versgestalt ist
ohne jeglichen schärferen Einschnitt und sichert so einen gleiten-
den Fortgang des Erzählens. Dieser Berichtform entspricht die
unheimliche Lautlosigkeit und Übergangslosigkeit des erzählten
Vorgangs.

> Am siebten Tage unter leichten Winden
> Wurden die Wiesen heller. Da die Sonne gut war
> Gedachten sie zu rasten...

Über einem Gelage wird es Nacht, und als die Männer am nächsten Mittag aus schwerem Schlaf erwachen, finden sie sich schon

von einem undurchdringlichen Geflecht aus Ästen und Blattwerk umringt. Ihre verzweifelten Versuche, sich freizukämpfen, scheitern.

> Später am Abend
> Der dunkler war, weil oben Blattwerk wuchs
> Saßen sie schweigend, angstvoll und wie Affen
> In ihren Käfigen, von Hunger matt.
> Nachts wuchs das Astwerk. Doch es mußte Mond sein
> Es war noch ziemlich hell, sie sahn sich noch.
> Erst gegen Morgen war das Zeug so dick
> Daß sie sich nimmer sahen, bis sie starben.
> Den nächsten Tag stieg Singen aus dem Wald.
> Dumpf und verhallt. Sie sangen sich wohl zu.
> Nachts ward es stiller. Auch die Ochsen schwiegen.
> Gen Morgen war es, als ob Tiere brüllten
> Doch ziemlich weit weg. Später kamen Stunden
> Wo es ganz still war. Langsam fraß der Wald
> In leichtem Wind, bei guter Sonne, still
> Die Wiesen in den nächsten Wochen auf.

Merklich zurückgenommen ist hier die trotzig-heroische Gebärde. Das rührt nicht zuletzt daher, daß der Erzähler am Ende seinen Standpunkt in eine weitere Distanz zum Geschehen verlegt: er wechselt von der Nahsicht zur Außensicht. Was im Käfig, der den Männern zum Sarg wird, im einzelnen noch geschieht, erscheint nicht mehr recht verbürgt: „Sie sangen sich wohl zu." Nicht das Aufsingen der Männer, sondern das allmähliche Verstummen von Mensch und Tier ist eindrucksbestimmend. Und schließlich beherrscht der alles verschlingende Wald die Stätte ganz.

Gerade diese schleichende Gefräßigkeit aber ruft jene Atmosphäre der Unheimlichkeit zurück, die wir von der naturmagischen Ballade kennen. Auch die amerikanische Wildnis wird erfaßt als lauerndes und vernichtendes Gegenüber, und die Umschlingung des Menschen durch die Natur ist wohl kaum jemals auf eindringlichere Weise bildhaft geworden. Um so schärfer hebt sich der Bruch mit der Überlieferung ab. Hier bedarf es nicht mehr der Magie und der Versinnlichung des Dämonischen durch Geister- und Elementarwesen. Gleichwohl hat die Entzauberung der naturmagischen Ballade mit Heines ironischer

Entmythisierung wenig gemein. Die Natur wird in der „Ballade von des Cortez Leuten" ausschließlich in ihrer „natürlichen" Beschaffenheit gesehen: in ihrer reinen vegetativen Kraft. Mit deskriptivem Realismus wird man solche dichterische Blick- und Darstellungsweise nicht verwechseln. Denn die Natur erscheint in überdimensionaler Natürlichkeit, wodurch ihr jene bedrohliche Mächtigkeit erhalten bleibt, die es erlaubt, das Gedicht von der Tradition der naturmagischen Ballade her zu beurteilen. Aber der balladische Vorgang und die dichterischen Bilder halten sich ganz an den Bereich der pflanzlichen Natur.

Ist es auch in den übrigen Balladen der Gruppe nicht gerade die vegetative, so doch immer die unmittelbare, elementare Kraft der Natur, die den Menschen bezwingt. Freilich sind die Bezwungenen von ähnlicher ungebrochener Lebenskraft, und noch im Untergang bewahren sie ihre Vitalität. (Ein wildwüchsiger Lebenstrieb beherrscht die Figur des Baal in Brechts erstem Drama; die Vitalität rühmt Brecht, in seinem Nekrolog, auch an Wedekind.) So bleiben sogar Bezüge zur Heldenballade und ein durchaus romantisierender Zug erhalten. Der konventionelle Heldentypus wird ersetzt durch die „Ritter" und „Raubritter" der Neuen Welt und des außergesellschaftlichen Milieus: durch Pioniere, Eroberer, Abenteurer und Glücksucher — im ganzen durch einen korrumpierten Heldentypus.

Denn unverkennbar ist der antibürgerliche Zug der Balladen, deren Gestalten außerhalb zivilisatorischer und gesellschaftlicher Konventionen stehen. Hier wirkt sich ein Wedekindsches Erbe, der Geist der Provokation, aus. Stoffliche Anregungen freilich vermochte Wedekind für diese Balladen nicht zu geben; sie werden vielmehr der Abenteurerliteratur entnommen, zumal den „Kalifornischen Erzählungen" des Amerikaners Francis Bret Harte.

Entscheidender, weil auch die Form mitbestimmend, wird der Einfluß Rudyard Kiplings. Ein ausdrücklicher Hinweis auf den englischen Romanautor und Balladendichter datiert aus dem Jahre 1920. In welche Zeit die erste Kipling-Lektüre fällt, ist aber nicht gewiß; eine Übersetzung von Soldatenliedern und anderen Gedichten des Engländers war 1910 erschienen. Kiplings Balladen eröffnen Brecht den Zugang zu einer anderen abenteuerlichen Welt, zum Leben der englischen Kolonialarmee in Indien, zur Dschungelwelt. Im Parabelstück „Mann ist Mann" (1926) werden die Anregungen sogar für die dramatische Form und Handlung wirksam, im Balladenwerk ist der Einfluß zumal am „Lied der drei Soldaten" und an der „Ballade von dem Soldaten", auch an der „Ballade von der Freundschaft" ablesbar. Die Soldaten in Kiplings Liedern sind Freiwillige, Söldner — Männer, die nicht nur aus ehrenhaften Gründen zur Kolonialarmee stießen. Sie haben mit den Gestalten der „Kalifornischen Erzählungen" und der „amerikanischen" Balladen Brechts die Unverwüstlichkeit und Abenteurerlust gemeinsam. Auch sie sind korrumpierte Helden, Menschen jenseits der Gesellschaft. Vor allem für die Sprache und Versform der Ballade Kiplings ist der junge Brecht empfänglich; die burschikose, unsentimentale, rauhe Diktion, ein aggressiver Ton und eine mitreißende Rhythmik kommen seinem eigenen Ausdruckswillen entgegen. Wie Kipling verwendet er einen mehrzeiligen Strophenschluß-Refrain; er teilt auch mit ihm eine Neigung zur belehrend-warnenden Sprachgebärde. Als Beispiel genüge „Die Ballade von dem Soldaten", die erstmals in der „Hauspostille" erschien und später (als „Lied vom Weib und dem Soldaten") in die dramatische Chronik „Mutter Courage" übernommen wurde. Die Erzählung von dem Soldaten, der die mehrfache Warnung eines Weibes mißachtet, in den Krieg wie in ein Abenteuer zieht und darin umkommt, endet mit der Kehrreim-Variante:

> Er verging wie der Rauch, und die Wärme ging auch
> Und es wärmten sie nicht seine Taten.
> Ach, bitter bereut, wer des Weibes Rat scheut!
> Sagte das Weib zum Soldaten [109].

In dieser Ballade wird im übrigen das Idol eines unverwüstlich-rücksichtslosen, kühnen und abenteuernden Helden bereits wieder relativiert, ja in Frage gestellt. Das dichterische Bild von den „wärmenden" Taten umschreibt die Bedingung: Tatkraft und Mut werden sinnvoll erst im sozialen Wirkungszusammenhang. Darin deutet sich schon die Grundhaltung der Exildichtung Brechts an. Und eine kleine spätere Textänderung, ein Wortaustausch im Lied des Eilif in „Mutter Courage", verstärkt die

Einschränkung noch einmal. „Ach, bitter bereut, wer des Weisen Rat scheut!" heißt es dort. Das Bild des heroisch-vitalen Außenseiters der Gesellschaft, des korrumpierten Helden, wird vom Bild des Weisen her berichtigt.

Mehr noch als den Gedichten Kiplings verdankt der herausfordernde, die bürgerliche und zivilisierte Gesellschaft brüskierende Balladenton des jungen Brecht den Liedern von François Villon. Die Lebensbeschreibung dieses französischen Balladendichters aus dem 15. Jahrhundert, aus jener Zeit also, in der in Deutschland die Volksballade blühte, liest sich selbst schon wie ein Bänkellied oder eine Moritat: vom Studium an der Pariser Universität führte der Weg in ein wildes Leben mit Diebstählen und Raufereien, mit Todesurteil, Begnadigung und zehnjähriger Verbannung. Es ist das Leben des ersten großen dichterischen Desperado und Vagabunden. Brechts Lied „Vom François Villon" in der „Hauspostille" vergegenwärtigt es noch einmal:

3

Er konnte nicht an Gottes Tischen zechen
Und aus dem Himmel floß ihm niemals Segen.
Er mußte Menschen mit dem Messer stechen
Und seinen Hals in ihre Schlinge legen
Drum lud er ein, daß man am Arsch ihn leckte
Wenn er beim Fressen war und es ihm schmeckte.

. . . .

5

François Villon starb auf der Flucht vorm Loch
Vor sie ihn fingen, schnell, im Strauch, aus List —
Doch seine freche Seele lebt wohl noch
Lang wie dies Liedlein, das unsterblich ist.
Als er die Viere streckte und verreckte
Da fand er spät und schwer, daß auch dies Strecken
schmeckte [110].

Daß die „freche Seele" Villons in seinen eigenen Liedern fortlebe — dieser Gedanke dürfte dem Selbstverständnis des jungen Brecht nicht fremd gewesen sein. Und wie sehr er die freche

Unbekümmertheit seines Vorläufers an dessen eigenen Versen praktizierte, zeigen jene wörtlichen Anleihen bei Villon, genauer bei der Villon-Übersetzung Ammers (eigentlich Klammers) von 1907, die ihm den — hinlänglich bekannten — Plagiatsvorwurf des Theaterkritikers Alfred Kerr eintrugen. Am Welterfolg der „Dreigroschenoper", vor allem ihrer Songs, hat der Geist des „Villon redivivus" unbestrittenen Anteil. Mit der „Ballade vom angenehmen Leben", dem Salomonsong, der „Zuhälterballade" und der „Ballade, in der Macheath jedermann Abbitte leistet" schließt sich Brecht unmittelbar an Villon an. Was beide Dichter verbindet, ist die Vielfalt einander widersprechender Ausdruckshaltungen und die Kontrapunktik der Töne. Bei Villon stehen nebeneinander demütige wie selbstironische Aussagen, der Ausdruck der Sohnesliebe und sarkastischer Spott gegen die Feinde, das Bekenntnis der Zuversicht auf die göttliche Gnade und eine zynische Kaltschnäuzigkeit, die ihr Vokabular aus dem Gaunerwortschatz vervollständigt. Durch Villon werden dem jungen Brecht Formen des Sprechens erschlossen, für die ihm die deutsche Volksballaden- und Bänkelliedtradition, aber auch Wedekinds literarisierter Bänkelsang keine Modelle zu liefern vermochten. So macht erst Brecht mit der Revolutionierung der deutschen Ballade „von unten" her vollen Ernst. Das vollzieht sich noch abseits der marxistischen Theorie. Aber das Hinabsteigen in die Niederungen der Sprache geht mit einer Hinwendung zu den unteren und besitzlosen Schichten der Gesellschaft einher, die in Villons Bruderschaft mit den sozial Verachteten eine Entsprechung hat. Neben die Provokation tritt — wie bei Villon — die Unterweisung und die Abbitte oder Fürbitte. So in der „Dreigroschenoper" in Macheath' letztem Song:

> Ihr Menschenbrüder, die ihr nach uns lebt
> Laßt euer Herz nicht gegen uns verhärten
> Und lacht nicht, wenn man uns zum Galgen hebt ...
>
> . . . .
>
> Ihr Menschen, lasset allen Leichtsinn fallen
> Ihr Menschen, laßt euch uns zur Lehre sein
> Und bittet Gott, er möge mir verzeihn [111].

Oder im letzten Dreigroschen-Finale:

> Verfolgt das Unrecht nicht zu sehr, in Bälde
> Erfriert es schon von selbst, denn es ist kalt.
> Bedenkt das Dunkel und die große Kälte
> In diesem Tale, das von Jammer schallt[112].

Solcher Appell verweist auf die *legendenhafte* Ballade Brechts. Im Zeichen Villons also stehen die Versuche des Dichters, das durch vielfachen Gebrauch ausgelaugte poetische Wort, die verschlissene Balladensprache aus der profanen, ja der „Gossen"-Sprache wiederanzureichern. Über alledem sollte der Leser nicht vergessen, daß die Brechtschen Balladen zu einem großen Teil als Songs gedacht sind, woher eine eigentümlich ungeschmeidige Diktion und eine gelegentlich vertrackte Wortfolge rühren, die der Sprache zusätzliche balladeske Rauheit verleihen. Doch kann umgekehrt auch Balladeskes zum Lyrischen hin aufgelöst werden. So geschieht es in den Versen „Vom ertrunkenen Mädchen", deren poetischer Fluß auf dem Hintergrund der „Ballade vom Liebestod", die in der „Hauspostille" folgt, noch auffälliger wird. Das Gedicht „Vom ertrunkenen Mädchen" ist eines der Zeugnisse — wenn wohl auch nicht das sprechendste — für die Einwirkung Arthur Rimbauds; das Ophelia-Motiv hatte vor Brecht schon Georg Heym übernommen. In vier Strophen zieht Brecht den Vorgang zusammen:

1

> Als sie ertrunken war und hinunterschwamm
> Von den Bächen in die größeren Flüsse
> Schien der Opal des Himmels sehr wundersam
> Als ob er die Leiche begütigen müsse.

2

> Tang und Algen hielten sich an ihr ein
> So daß sie langsam viel schwerer ward.
> Kühl die Fische schwammen an ihrem Bein
> Pflanzen und Tiere beschwerten noch ihre letzte Fahrt.

Und der Himmel war abends dunkel wie Rauch
Und hielt nachts mit den Sternen das Licht in Schwebe.
Aber früh ward er hell, daß es auch
Noch für sie Morgen und Abend gebe.

Als ihr bleicher Leib im Wasser verfaulet war
Geschah es (sehr langsam), daß Gott sie allmählich vergaß
Erst ihr Gesicht, dann die Hände und ganz zuletzt erst
　　　　　　　　　　　　　　　　　　　　　ihr Haar.
Dann ward sie Aas in Flüssen mit vielem Aas [113].

Trotz der Verfalls-Bildlichkeit der letzten Strophe scheinen die
Verse, gegenüber dem ersten Teil von Heyms Ophelia-Gedicht,
fast zu poetischer Beschönigung des Auflösungsprozesses zurück-
zukehren. Fügungen von starkem Stimmungsgehalt (wie „Opal
des Himmels" oder „Licht in der Schwebe") und die Bilder einer
sympathetischen Natur mildern und dämpfen den Vorgang; die
„als ob"-Wendung und das vorhergehende „wundersam"
wecken Assoziationen zu romantischen Klängen. Freilich deutet
sich schon in der zweiten Strophe jene Bewegung an, die, von der
dritten noch einmal verzögert, in der vierten Strophe dann das
scheinbar Tröstende als das letztlich Gleichgültige enthüllt und
hinführt zum Bild des Gottes, der sein Geschöpf vergißt. Der
Schlußvers findet für den endgültigen Verfallsprozeß kein „be-
gütigendes" Wort mehr; der Tatbestand wird sachlich-nüchtern
vermerkt. Und doch empfängt auch dieser Schlußvers noch sein
Teil von der Behutsamkeit des lyrischen Tons, der das Ganze
beherrscht. Fern jedenfalls ist in diesem Gedicht jene schockierende, den medizinischen Befund ins Makabre steigernde Berichtform, mit der Gottfried Benn in „Schöne Jugend" (im Zyklus
„Morgue", 1912) sich des Motivs der Wasserleiche bemächtigt
hatte. Es scheint beinahe, als habe sich eine Konventionalität der
Bilder und Empfindungen, die Benn zerschlagen hatte, bei Brecht
wieder eingeschlichen. Aber nirgendwo begegnet das verdäch-
tige, entleerte Wort; und es ist erstaunlich genug, daß nach
Benns „Schöne Jugend" noch eine derart poetische Behandlung
des Themas möglich wurde. Denn selbst die „romantischen"

Vokabeln wirken hier ganz unverbraucht. Es zählt zu den bedeutenden Leistungen Brechts, daß er stumpf gewordenen Worten in neuem Kontext wieder Leuchtkraft zurückzugewinnen vermag. —

Wenn wir uns jetzt den Beispielen der *legendenhaften* Ballade zuwenden, so ist noch einmal an die „Moderne Legende" aus dem Jahre 1914 zu erinnern. Bereits dort war, mit der Hinführung des balladischen Vorgangs zu den Müttern der gefallenen Soldaten, der Gestalttypus des Märtyrers sichtbar geworden. Freilich rechtfertigt sich der Begriff bei Brecht nur in säkularisierter Bedeutung. Nicht also unerschütterliche religiöse Überzeugung führt zum Märtyrertum. Nicht der Glaubensheld — welcher Art auch immer —, sondern das menschliche Wesen mit der ihm als Kreatur und Person eigenen Würde wird dem Leiden, dem Martyrium ausgeliefert. Wo die Peiniger im christlichen Märtyrer letztlich das Bild Gottes beleidigen, schändet man im weltlichen Märtyrer (Brechtscher Prägung) das Bild des Menschen. Zur Verdeutlichung mag das „Horenlied" dienen, das sich in „Mutter Courage und ihre Kinder" findet. Es beschreibt das Urbild christlichen Martyriums, die Passion Christi von der Verhandlung bei Pilatus bis zum Tod am Kreuz. Christus wird dabei in seiner Doppelheit als Gottes- und als Menschensohn gesehen. Gegenüber der Vorlage, einem Kirchenlied aus dem 16. Jahrhundert[114], betont Brecht aber das m e n s c h l i c h e Leiden Christi. Wesentlich ist ihm die Passion Christi als Beispiel für das Martyrium, das Menschen einem Menschen auferlegen; Jesus wird zur Symbolfigur für eine leidgequälte Menschheit. Die letzten beiden Strophen des Horenliedes lauten:

Da hat man zur Vesperzeit
Der Schecher Bein zerbrochen
Ward Jesus in seine Seit
Mit eim Speer gestochen.

Doraus Blut und Wasser ran
Sie machtens zum Hohne
Solches stellen sie uns an
Mit dem Menschensohne[115].

Dieses hinweisende „Solches stellen sie uns an / Mit dem Menschensohne" ist gleichsam der Grundtenor, die demonstrative Grundgeste der Brechtschen Märtyrerballaden.

Über die Entstehung der „Legende vom toten Soldaten" (1918) erhalten wir Aufschluß vom Dichter selbst. Im Frühjahr 1918 hob man in Deutschland die letzten Reserven für die Armee aus. „Die Siebzehnjährigen und die Fünfzigjährigen wurden eingekleidet und an die Front getrieben", schreibt Brecht später. „Das Wort k.v., welches bedeutet ‚kriegsverwendungsfähig', schreckte noch einmal Millionen von Familien. Das Volk sagte: ‚Man gräbt schon die Toten aus für den Kriegsdienst'." [116] Gleichgültig, ob es sich um eine nachträgliche Mystifikation handelt, wonach der Dichter sein Ohr dem hyperbolischen Wahrspruch des Volksmunds geliehen habe — hier ist das Bild, aus dem sich der Balladenvorgang und die weitere Bilderfolge entrollen: das kv-Urteil der militärärztlichen Kommission, der Ausmarsch des taumelnden Exhumierten, seine „Wiederinstandsetzung" durch anfeuernde Mittel wie Alkohol, Frauennacktheit und Marschmusik, das immer entfesseltere Treiben um ihn her. Die grotesken Bilder dieser Verschleppung zur Front überstürzen sich. Sarkastische Ironie entlarvt absurd gewordene nationale Klischees. Greller noch als in Heines gesellschaftskritischer Ballade „Das Sklavenschiff" enthüllt sich die Inhumanität des gewaltsamen Versuchs, erschöpfte Lebenskraft zu neuem Dienst aufzupeitschen. Denn die Entwürdigung des Menschen erscheint hier noch einmal gesteigert in der Schändung des Toten. Und stärker und reiner als bei Heine entfaltet sich die Bildlichkeit des Martyriums. Wir erinnern uns der Bürgerschen Märtyrerballade „Sankt Stephan": „Hinaus zum nächsten Tore brach / Der Strom der tollen Menge / Und schleifte den Mann Gottes nach, / Zerstoßen im Gedränge ..." So auch umringt den toten Soldaten eine gespenstische Meute:

17

Und wenn sie durch die Dörfer ziehn
Kommt's, daß ihn keiner sah
So viele waren herum um ihn
Mit Tschindra und Hurra.

So viele tanzten und johlten um ihn
Daß ihn keiner sah
Man konnte ihn einzig von oben noch sehn
Und da sind nur Sterne da.

Die Sterne sind nicht immer da
Es kommt ein Morgenrot.
Doch der Soldat, so wie er's gelernt
Zieht in den Heldentod[117].

Die Wendung „so wie er's gelernt" (die schon in der 9. Strophe auftauchte) macht die ganze Furchtbarkeit des Vorgangs bewußt. Dieser Mensch ist seines eigenen Willens beraubt, zur Maschine gedrillt, die blind den Weisungen folgt: von einem Tod in den anderen. — Ein Kriegsgedicht wie dieses hatte es bis dahin in der deutschen Literatur nicht gegeben. Kein Schlachtpanorama wird entworfen, und doch ist die organisierte, geplante Dämonie des modernen Krieges in der Marionettenhaftigkeit des Soldaten und der Ungeheuerlichkeit seiner Peiniger, in einem makabren Totentanz zum beklemmenden dichterischen Bild geworden.

Die Bezeichnung „Legende" für diese groteske Ballade könnte überraschen, scheinen doch die desillusionierenden Züge sie eher zur Anti-Legende zu stempeln. Der Dichter mag auch die Bezeichnung hier nicht ohne ironischen Vorbehalt gewählt haben. Andererseits verwendet Brecht, wie er die Märtyrergestalt verweltlicht, auch den Legendenbegriff in seiner säkularisierten Bedeutung, so daß sich der scheinbare innere Widerspruch aufhebt und die Ballade vom toten Soldaten als eine satirisch-groteske Sonderform der Brechtschen Legende erweist.

Von der „Modernen Legende" über die „Legende vom toten Soldaten" führt eine Linie zur 1941 entstandenen Ballade „Kinderkreuzzug" (zunächst „Kinderkreuzzug 1939")[118], zur Legende vom Martyrium der Kriegswaisen. Aber den grotesken und satirischen Stil nimmt Brecht hier nicht auf. Sich frei an die Volksliedstrophe anlehnend, den Vers gelegentlich mit der kunstvollen Unbeholfenheit des Knittelverses durchsetzend, erreicht er eine Schlichtheit des Erzählens, die dem volksmäßigen Legendenton nahesteht.

> Schnee fiel, als man sich's erzählte
> In einer östlichen Stadt
> Von einem Kinderkreuzzug
> Der in Polen begonnen hat.
>
> Da trippelten Kinder hungernd
> In Trüpplein hinab die Chausseen
> Und nahmen mit sich andere, die
> In zerschossenen Dörfern stehn.
>
> Sie wollten entrinnen den Schlachten
> Dem ganzen Nachtmahr
> Und eines Tages kommen
> In ein Land, wo Frieden war.

Der letzte Vers hilft den zunächst befremdlichen Titel „Kinderkreuzzug" erklären — befremdlich, weil sich mit dem Wort Kreuzzug der Gedanke an einen durchaus nicht friedlichen Heerzug nach Palästina aufdrängt. Eine Verständnisbrücke bietet die Vorstellung vom Kreuzzug als dem Aufbruch und Zug ins Heilige Land. Denn auf den Weg in ein gesegnetes Land, nämlich das des Friedens, machen sich auch die Waisenkinder der Ballade. „Land des Friedens" ist also eine weltliche Umdeutung von „Heiligem Land".

Die suchenden Kinder gehen in die Irre; auf die schneeverwehten und umgedrehten Wegweiser ist kein Verlaß. Im übrigen wissen sie nur die allgemeine Richtung:

> Sie zogen vornehmlich nach Süden.
> Süden ist, wo die Sonn
> Mittags um zwölf steht
> Gradaus davon.

Die Symbolik der Himmelsrichtung schließt sich an das Geläufige, Einfache an. Süden umfaßt geographisch die wärmeren Zonen; die Kinder drängt es aus der Winterkälte in die Wärme. Kälte, Schnee und Winter sind aber zugleich Metaphern für die Welt des Krieges, des Leidens, des Unheils. Immer wieder wird „Kälte" in der Dichtung Brechts zur Metapher für Elend, Unterdrückung, Unerlöstheit. So steht „Süden" hier auch für die Welt des Friedens, des Heils. Das ist so ganz selbstverständlich nicht. Brecht hatte zur Zeit der Entstehung der Ballade längst offen Partei ergriffen für das marxistische und sozialistische Lager, und es hätte nahegelegen, die Symbolik der Himmelsrichtungen in anderer Weise zu verwenden. Im geographischen wie im metaphorischen Sinne hätte die Richtungsangabe Osten (und das hieße Sowjetunion) nicht überrascht. Wohl aber hätte sie die innere Wahrheit und Stimmigkeit eines Gedichtes zerstört, in dem sich der Autor gerade jegliche engere politische Parteilichkeit versagt. Denn in der Kindergruppe haben nationale, soziale, konfessionelle und politische Unterschiede ihr Gewicht verloren. Der Jude, der Pole und der Deutsche, der Protestant und der Katholik, der aus einer Nazigesandtschaft stammende Junge und der kleine Kommunist — sie alle hat die Gemeinsamkeit des Leids und der Hoffnung zur Solidarität verbunden. Und die Gemeinschaft der Suchenden wird noch wachsen:

> Über ihnen, in den Wolken oben
> Seh ich andre Züge, neue, große!
> Mühsam wandern gegen kalte Winde
> Heimatlose, Richtungslose
>
> Suchend nach dem Land mit Frieden
> Ohne Donner, ohne Feuer
> Nicht wie das, aus dem sie kamen
> Und der Zug wird ungeheuer.

Man hätte sich diesen visionären Ausblick, der das Geschehen ins Allgemeine der Weltkriegs- und Leidenssituation erweitert, als Abschluß der Ballade denken können. Aber der Erzähler lenkt noch einmal zum polnischen Kinderkreuzzug zurück; noch bleibt das Ende der Weg- und Friedenssuche zu berichten. Und ohne emotionsbewegende Effekte schließt die Ballade. Von dem Tod der Kinder erfahren wir nur auf uneigentliche Weise, durch ein letztes Signal, einen letzten Boten der Verirrten:

> In Polen, in jenem Januar
> Wurde ein Hund gefangen
> Der hatte um seinen mageren Hals
> Eine Tafel aus Pappe hangen.

Darauf stand: Bitte um Hilfe!
Wir wissen den Weg nicht mehr.
Wir sind fünfundfünfzig
Der Hund führt euch her.

Wenn ihr nicht kommen könnt
Jagt ihn weg.
Schießt nicht auf ihn
Nur er weiß den Fleck.

Die Schrift war eine Kinderhand.
Bauern haben sie gelesen.
Seitdem sind eineinhalb Jahre um.
Der Hund ist verhungert gewesen.

Wie hier die Sprache auf jedes dramatisierende Wort verzichtet
und die Darstellung mit Hinweisen auskommt — das verrät ein
sicheres dichterisches Stilgefühl und stellt den „Kinderkreuzzug" zu jenen großen Balladen deutscher Sprache, deren reine
Wirkung auf der Evokationskraft der Andeutung beruht. Es gilt
zu bedenken, daß bei einer Ballade wie dieser die Gefahr des
Sentimentalen lauert — eine Gefahr, der die soziale Ballade des
19. Jahrhunderts nicht immer entgangen war. Sie wird von
Brecht gebannt durch einen Chronistenstil, der jeglichen Ausdruck der eigenen emotionalen Anteilnahme im Zaum hält und
die Tatsachen und Ereignisse selber sprechen läßt. Da das Motiv
der Kriegswaisen, wie überhaupt die Gestalt des leidenden Kindes bzw. des kindlichen Märtyrers, in besonderem Maße rührende Züge besitzt, da Pathos schon im balladischen Gegenstand
selbst liegt, ist zudem eine Entpathetisierung des Stoffes geboten,
die der Chronistenstil mitzuleisten hat. Der Erzählstil bleibt aber
auch — im streng parataktischen Bau, in der Nebenordnung kurzer Sätze und in der einfachen schmucklosen Rede — der Er-
fahrungswelt und der Ausdrucksweise der Balladenfiguren noch
angemessen.
Beispielhaft für den Erzähl- und Sprachstil des Ganzen ist die
Schlußstrophe. Bei der in Brechts Lyrik allgemein zu beobach-
tenden außerordentlich sparsamen Verwendung von Satzzeichen
am Versende haben die vier Punkte besonderes trennendes Gewicht. Vier Sachverhalte werden lakonisch in vier Sätzen bzw.
Versen berichtet. Die erste Zeile gibt endgültig Gewißheit dar-

über, daß es sich bei der Tafelinschrift um den Hilferuf der Kinder handelt: „Die Schrift war eine Kinderhand." In zweifacher Weise wirkt die nächste Zeile affirmativ. Sie versucht noch einmal den Wahrheitsgehalt der Geschichte zu beglaubigen, die man sich in der „östlichen Stadt" erzählte, und bestätigt, daß die letzte Botschaft der Kinder Menschen erreicht hat: „Bauern haben sie gelesen." Der möglichen Erwartung des Lesers, man habe vielleicht die Kinder noch gefunden oder gar gerettet, kommt die nächste Zeile zuvor: „Seitdem sind eineinhalb Jahre um." Dieser Vers rückt zugleich das Geschehen und damit den erschütternden Ausgang in die zeitliche Distanz, macht sie als einen abgeschlossenen Vorgang bewußt. Und nun erst wird, in der Schlußzeile, letzte Gewißheit über die Katastrophe gegeben, mit einer metonymischen Wendung, in der ein kleiner Teilaspekt das Ganze des Verhängnisses zu vertreten hat, in der durch ein Mindestmaß an direkter ein hohes Maß an effektiver Aussage erzielt wird: „Der Hund ist verhungert gewesen." Das bleibt nicht nur unterkühlte Diktion; hier offenbart sich, in welchem Maße die Auslassung künstlerische Vervollkommnung bedeuten kann.

Elemente des Bänkelsangs oder der Moritat sind im „Kinderkreuzzug" nicht mehr zu finden; auch das Echo des Kiplingschen oder Villonschen Balladentons ist verstummt. Solche Einflüsse erweisen sich von dieser Ballade her als Durchgangsstufen. Unverkennbar ist eine Wiederannäherung an den Volkslied- und Volksballadenstil (wie ihn schon Goethe, etwa im „Heidenröslein", aufgenommen hatte), zumal in Versen wie diesen:

> Da war auch eine Liebe.
> Sie war zwölf, er war fünfzehn Jahr.
> In einem zerschossenen Hofe
> Kämmte sie ihm sein Haar.

> Die Liebe konnte nicht bestehen
> Es kam zu große Kält:
> Wie sollen die Blümchen blühen
> Wenn so viel Schnee drauf fällt?

Ließ sich das von den Kindern gesuchte „Land des Friedens" als eine weltliche Umdeutung des „Heiligen Landes" bestimmen, so ist die Tatsache um so auffälliger, daß es bei einer vagen Ver-

137

heißung bleibt. Das Motiv der Vergeblichkeit, besser: der Unerlöstheit durchzieht einen großen Teil der *legendenhaften* Balladen Brechts. Schon in einer Ballade der Augsburger Zeit (bis
1920) wird der Aufbruch ins Heilige Land thematisch, in der
„Legende der Dirne Evlyn Roe" [119], und auch hier kommt die
Suchende nicht ans Ziel. Es ist das Heilige Land selbst (in des
Wortes ungebrochener Bedeutung), zu dem die Pilgerin unter-
wegs ist. Und einige Rückgriffe auf das Lutherdeutsch — für
Brecht eine der weiteren Quellen seiner Spracherneuerung —
helfen die religiöse Sinnsphäre bewußthalten. Zugleich freilich
enthüllt sich die an religiöse Überlieferung geknüpfte Erwartung als trügerisch.

Die fromme Evlyn Roe wird während der Fahrt ins heilige Land
(„zu Jesses Christ") von der Schiffsbesatzung zur Hure gemacht.
Man hat in dieser Gestalt eine Umwandlung der legendären
Maria aus Ägypten gesehen, die nach einem Dirnenleben „zur
Büßerin wird und für Jahrzehnte in die Wüsteneinsamkeit
geht" [120]. Mir scheint hier aber auch die Gestalt der Maria Mag-
dalena als Modell zu wirken. Die demütige Gebärde der schönen
Sünderin wiederholt sich in den verzweiflungsvollen Worten
der Evlyn Roe:

> „Nie seh ich dich, Herr Jesus Christ
> Mit meinem sündigen Leib.
> Du darfst nicht gehn zu einer Hur
> Und bin ein so arm Weib."

Aber eben jene Vergebung, die der biblischen Sünderin zuteil
wird, bleibt Evlyn Roe versagt. Die neutestamentliche Botschaft
der Verzeihung scheint in einer dogmatisierten Sündenauffas-
sung wieder vergessen. (Hier freut sich nicht — wie in Goethes
Legendenballade „Der Gott und die Bajadere" — „die Gottheit
der reuigen Sünder".) Als Evlyn Roe, nach ihrem Tod im Meer,
an die Himmelstür kommt, weist Petrus sie ab:

> „Gott hat mir gesagt: Ich will nit han
> Die Dirne Evlyn Roe."

Die Verheißung der Maria Magdalena-Geschichte erweist sich
als ein leeres Versprechen: dieser Gott ist kein Gott für die Sündigen, kein Gott, der erlöst. Und wo Gott sein Interesse am Men-

schen verloren hat, da gibt auch der Teufel es auf: von der Hölle wird Evlyn Roe mit denselben Worten zurückgestoßen. Man wird nicht übersehen, wie Brecht in diesen Reaktionen von Himmel und Hölle die christliche Verheißung und Jenseitsvorstellung sich selbst widerlegen läßt. Doch bleibt die Ballade kein bloßer Gegenentwurf zur christlichen Legende, keine Anti-Legende. Sie ist Legende in jenem — aus der Negation kaum zu begreifenden — Sinne, den sie bei Brecht allgemein erhält: schlichte Erzählung vom Erdenlos nicht mehr des Heiligen, sondern der menschlichen Kreatur und Person. Etwas von jener universalen Trost-losigkeit, die im Märchen der Großmutter in Büchners „Woyzeck" über das „arme Kind" hereinfällt, ist auch in der gänzlichen Verlassenheit Evlyn Roes, die von Himmel und Hölle abgewiesen wurde:

> Da ging sie durch Wind und Sternenraum
> Und wanderte immerzu.
> Spät abends durchs Feld sah ich sie schon gehn:
> Sie wankte oft. Nie blieb sie stehn.
> Die arme Evlyn Roe.

Wo in dieser Dirnenlegende der Erzähler noch die Rolle des Berichtenden einhält und mit einer sprachlichen Geste des bloßen Bedauerns schließt, tritt er in der Hauspostillen-Ballade „Von der Kindesmörderin Marie Farrar"[121] in die Haltung des Unterweisenden, der zur Nachsicht mit den Schwachen und Sündigen aufruft. Von früheren balladischen Behandlungen des Kindesmordmotivs — in Bürgers „Des Pfarrers Tochter von Taubenhain", Ferdinand von Saars „Das letzte Kind", auch Schillers „Die Kindesmörderin" — unterscheidet sich Brechts Ballade nicht nur durch Ermahnung und Anrede, wie sie in Volksballade und Moritat oder bei Villon gebräuchlich waren, sondern auch durch eine Erzählweise, die sich den Notizen von Polizeiakten annähert[122]. Es beginnt mit genauen Angaben über Namen, Geburtsmonat, Familienstand, körperliche Konstitution, soziale Lage und das Delikt. Und es werden auch weiterhin, bis in die vorletzte Strophe hinein, die Aussagen der Angeklagten gleichsam zu Protokoll genommen; Konjunktiv und indirekte Rede überwiegen im Bericht über die Schwangerschaftsphasen, die

Abtreibungsversuche und die Geburt sowie bei der minuziösen Schilderung der Tatumstände. Was die indirekte Rede, die Akribie in der Ermittlung der Mordvoraussetzungen und die Anreden an den Leser leisten, ist: Episierung. Schon der junge Brecht greift, in dieser Ballade, zu Mitteln der Distanzierung, die später für Rede- und Szenenformen des Epischen Theaters oder die „Übungsstücke für Schauspieler" dramaturgisches Grundgesetz werden. Die Aufgaben solcher Episierung in der Ballade macht die Schlußstrophe deutlich: allzu rasche Urteile sollen verhindert, Einsicht und Verständnis gefördert, Nachsicht und Hilfsbereitschaft geweckt werden:

> Marie Farrar, geboren im April
> Gestorben im Gefängnishaus zu Meißen
> Ledige Kindesmutter, abgeurteilt, will
> Euch die Gebrechen aller Kreatur erweisen.
> Ihr, die ihr gut gebärt in saubern Wochenbetten
> Und nennt „gesegnet" euren schwangeren Schoß
> Wollt nicht verdammen die verworfnen Schwachen
> Denn ihre Sünd war schwer, doch ihr Leid groß.
> *Darum, ich bitte euch, wollt nicht in Zorn verfallen*
> *Denn alle Kreatur braucht Hilf von allen.*

Die beiden Schlußverse bilden den — in 9 Strophen nur gering variierten — Kehrreim des Gedichts. Welches Maß an Herausforderung und Zumutung in diesem Erbarmensappell liegt, kann der Vergleich mit einer Ballade des 19. Jahrhunderts verdeutlichen, deren Strophen mit einer ähnlichen refrainhaften Bitte schließen. Franz von Gaudys „Die Bettlerin vom Pontneuf" (1839) ist — bis auf die Eingangsverse — Rollengedicht, Monolog einer Adligen, die während der Französischen Revolution ihre Familie verlor, ins Elend geriet und nun als Bettlerin ein gehaßtes Dasein fristet. Die einzelnen Strophen sind Abschnitte ihres Lebensberichts, die jeweils mit der Bitte enden: „Ich lebe noch! O wollet Euch erbarmen! / Gebt ein Almosen! Gebt der ärmsten Armen!" [123] Dieser Bitte wird durch die Litaneien der Bettlerin beinahe der Charakter des Anspruchs gegeben, das Erbarmen wird aufgedrängt. Hat man anfangs den Eindruck, Gaudy sei lediglich am Schicksal eines Opfers der Revolutionswirren interessiert, so scheint es bald, als habe ihm dieser

Vorwurf für Elendsschilderung und Mitleidsappell nicht mehr genügt. Das ganze Arsenal möglicher Unglücksfälle wird ausgeschöpft (Hinrichtung des Vaters, Tod der Mutter in der Salpetriere, tödliches Aufbegehren des Bruders, erzwungener Bund der Grafentochter mit einem Niederen, Haßliebe zu einem Bastard-Sohn, Fluch der Mutter, tödlicher Sturz des Sohns, mitternächtliche Heimsuchung durch den Geist des Sohns, Erblindung und Elendsdasein in Frost und Hunger). Nicht der literarische Wert dieser Ballade beschäftigt uns, sondern die Frage, auf welche Weise hier der Erbarmensanruf vermittelt wird. Offensichtlich sucht Gaudy den Appell des Kehrreims zu intensivieren durch eine Anhäufung „tragischer" Motive, durch die Akkumulation gemütsbewegender Mittel. Anders ausgedrückt: „Erbarmen" ist nur die ausdrückliche Benennung eines Wirkungsziels, von dem her das Gedicht in allen seinen Teilen bestimmt ist; der Leser wird von Mitleidsanrufen förmlich überrannt. — Brechts Ballade dagegen rechnet, wie der Refrain zeigt, mit dem Erbarmen als einer selbstverständlichen Gefühlshaltung nicht; sie erwartet geradezu den Gegenaffekt: „Doch ihr, ich bitte euch, wollt nicht in Zorn verfallen." Und die versachlichte, über zwei Vermittlungsstationen — die Aussage der Angeklagten und den Bericht und Kommentar des Erzählers — laufende Darstellung verhindert eher die emotionale Anteilnahme. Erzählerischer Gegenstand sind nicht Unglücksfälle, sondern menschliche Verhaltensweisen: „So laßt sie also weiter denn erzählen / . . . Damit man sieht, wie ich bin und du bist." Und nicht auf sympathetische Einstimmung in die Gefühlsverfassung der Balladenfigur, vielmehr auf ein Abwägen der sozialen und individuellen Bedingungen des Kindesmords rechnet der Erzähler. Erbarmen wird nicht eingeflößt, sondern dem Leser als Leistung zugemutet. Es ist dem Zorn erst abzuringen. Und dieser Leistungscharakter eines Nachsicht verlangenden Erbarmens vollendet sich nur in tätiger Hilfsbereitschaft: „Denn alle Kreatur braucht Hilf von allen."

Der Aufruf zur Nachsicht mit den „verworfnen Schwachen" sucht ein durch moralische Dogmen verhärtetes Bewußtsein und Handeln für die Nächstenliebe offen und frei zu machen. Man kann hier eines der christlichen Kardinalgebote wiedererkennen

— aber doch auch nicht, weil jeglicher Bezug zur Transzendenz fortgedacht werden muß. Nächstenliebe ist hier zu verstehen als eine ganz und nur im sozialen Bereich sich entfaltende Tugend und als eine sozialethische — nicht religiöse — Forderung. Faßbar unter Begriffen wie Nachsicht, Freundlichkeit, Güte oder Hilfsbereitschaft geht das Motiv von der Früh- bis zur Spätzeit durch das dichterische Werk Brechts.

Tätige, nicht nur sympathetische Nächstenliebe, Hilfsbereitschaft und nicht bloßes Mitleid herauszufordern, ist einer der Grundantriebe für Brechts Erprobung neuer Formmöglichkeiten: so auch im Entwurf einer nicht-aristotelischen Dramaturgie. In seiner Rede vor Stockholmer Studenten im Jahre 1939 erklärt er zu einer neuen Katharsis-Lehre: „Was konnte an die Stelle von *Furcht* und *Mitleid* gesetzt werden ... War es möglich, etwa an Stelle der Furcht vor dem Schicksal die Wissensbegierde zu setzen, an Stelle des Mitleids die Hilfsbereitschaft?" [124]

Motive wie Güte und Freundlichkeit sind beherrschend auch in dem Gedicht, mit dem die Behandlung der Brechtschen Ballade abgeschlossen werde, in der „Legende von der Entstehung des Buches Taoteking auf dem Weg des Laotse in die Emigration" [125] (erstmals gedruckt in den 1939 erschienenen „Svendborger Gedichten"). Nur wenige der Gedichte Brechts, vielleicht einige andere der dänischen Exilzeit und die späten Buckower Elegien, haben die Ausgewogenheit, Besonnenheit und Gesammeltheit dieser Ballade. Der Erzählvorgang schreitet gemächlich durch die 13 Strophen fort. Der fünfte Vers ist jeweils gegenüber den vier anderen der Strophe merklich verkürzt; er wirkt durch seine lakonische Form wie ein gebieterischer Schlußpunkt:

> Als er Siebzig war und war gebrechlich
> Drängte es den Lehrer doch nach Ruh
> Denn die Güte war im Lande wieder einmal schwächlich
> Und die Bosheit nahm an Kräften wieder einmal zu.
> Und er gürtete den Schuh.

Dieser das Sinn- und Formgefüge der Strophen energisch abgrenzende Kurzvers setzt und gewährt dem Erzählvorgang immer wieder Pausen, er macht die Erzählabschnitte zu Stationen und betont so die relative Selbständigkeit der Teile. Solche spezifisch epische Erzählweise entspricht der Beschaffenheit des Geschehens. Gegensätze und Spannungen werden — nachdem der Grund für die Emigration erklärt ist — nicht wirksam; zu keinen Zuspitzungen und Umschlägen drängt der Ablauf. Der chinesische Weise packt seine Habe und verläßt mit einem Knaben und einem Ochsen das Land, wird aber an der Grenze von einem neugierig gewordenen Zöllner bewogen, seine Weisheit aufzuschreiben; eines Morgens ist die Arbeit getan, das Ergebnis sind die (berühmt gewordenen) 81 Sprüche des Taoteking. Der Übereinstimmung von Darstellungsweise, Geschehen und Figur verdankt die Ballade den nahezu vollkommenen epischen Stil. Nur dieses eine Mal hat Brecht die Gestalt des Weisen rein und ohne Vorbehalt gezeichnet, obwohl das Thema der Weisheit bei ihm nicht selten ist. Er selbst sah sich in einer welthistorischen Umbruchssituation, aber auch einer Zeit des Unrechts und der Gewalt, welche die kontemplative, zuschauende, abgeklärte Haltung des Weisen verbieten.

> Ich wäre gerne auch weise.
> In den alten Büchern steht, was weise ist:
>
> . . . .
>
> Alles das kann ich nicht:
> Wirklich, ich lebe in finsteren Zeiten! [126]

heißt es in einem der anderen Svendborger Gedichte („An die Nachgeborenen"). Was der Emigrant Brecht nicht sein konnte, i s t der emigrierende Laotse der Ballade; und man darf in dieser Gestalt die Projektion eines Brechtschen Ideals sehen. Und doch ist das Gedicht keine verkappte Heldenballade, in der nur das Bild des kämpferischen oder vitalen Helden durch das Bild des Geisteshelden ausgetauscht wäre. Denn Weisheit, so deutet die Schlußbetrachtung den Vorgang, erfüllt ihren Sinn erst in einem Wirkungszusammenhang, sie wäre unfruchtbar ohne den Willen zur Mitteilung und ein entgegenkommendes Bedürfnis nach Belehrung. Dem Weisen muß sich der nach Unterweisung Verlangende und sie Empfangende hinzugesellen. Der Weise ist groß nicht als Esoteriker, sondern nur als der Lehrende, Wirkende.

Aber rühmen wir nicht nur den Weisen
Dessen Name auf dem Buche prangt!
Denn man muß dem Weisen seine Weisheit erst
                                         entreißen.
Darum sei der Zöllner auch bedankt:
Er hat sie ihm abverlangt.

So wird die Ballade zum Schlüsselgedicht für die Poetik des
Dichters selbst, eines Autors, der dem Autonomieanspruch von
Dichtung enge Grenzen wies und immer auch den Adressaten
mitdachte, der lehrend wirken und kritische Erkenntnis ver-
mitteln und herausfordern wollte.

*

Es war einer der Antriebe dieser Untersuchung zu zeigen, daß
die Geschichte der deutschen Ballade nicht identisch ist mit der
einer Balladenform, die langhin als die deutsche schlechthin galt
und die hier idealtypisch als *nordische* Ballade bestimmt wurde.
Der wesentliche Anteil *legendenhafter* Balladen am Werk gerade bedeutender Balladendichter bestätigt, daß Brechts „Legenden" durchaus Traditionselemente aufnehmen und daß weder
Grund besteht, die Geschichte der Kunstballade für beendet zu
erklären, noch die „moderne" Ballade nur auf Bänkelsang und
Moritat zurückzuführen. Daß freilich Wedekinds und Brechts
Regeneration der Gattung durch bänkelsängerische, Villonsche
und volksballadeske Züge ihrerseits unverlierbare Traditionselemente geworden sind, daß alle aufgesteifte Feierlichkeit fürs
erste dahin ist und groteske Stilformen ein Heimatrecht bean-
spruchen, macht die jüngste Anthologie zeitgenössischer Balladen deutlich[127].
Es bleibt zu fragen, woraus sich die auffällige Vorliebe Brechts
für die Ballade versteht. Eine der Voraussetzungen liegt gewiß
in seinen Vorbehalten gegen die spezifisch lyrische Aussprache,
in der sich Subjekt und Objekt wechselseitig durchdringen. In
der Ballade nimmt die Stelle des lyrischen das erzählende Subjekt ein, das seinem Objekt gegenübersteht. Die Ballade erlaubt
also ein hohes Maß an Objektivierung und kommt damit einem
Formwillen entgegen, der nach dem Frühwerk die Dichtung
Brechts immer entscheidender prägt.

An dieser Stelle ist auf Käte Hamburgers grundsätzliche und kritische Anmerkungen zur Ballade in ihrem Buch „Die Logik der Dichtung" [128] einzugehen, scheint doch hier der Vorwurf der „Unzeitgemäßheit der Ballade" den Begriff „moderne" Ballade zu einer Contradictio in adjecto zu stempeln. Fragwürdig ist nach K. Hamburger die Ballade nicht so sehr, weil sich das lyrische Ich in die „Erzählfunktion" verwandelt, sondern weil die durch die Erzählfunktion (den Erzähler) erstellte fiktive Welt in die lyrische Form zurückgezwungen wird. Der epische Stoff, dessen beraubt, was ihm strukturell innewohnt, „wird zu Bildern und Einzelsituationen, ja zu planem Geschehen". „Nicht nur die Kategorie des Lyrischen sondern auch die des Epischen hat sich zur höchsten Bewußtheit ihrer Form, und das heißt für die letztere der schier unerschöpflichen Möglichkeiten der Menschengestaltung in allen Schichten der äußeren und inneren Existenz entfaltet." Hier ist eine Einsicht formuliert, für die Fontane — der von der Ballade sich abwendende und für den Roman sich sammelnde Fontane — wohl den besten Anschauungsfall liefert: die Weisen der Welterfassung, welche die Ballade bot, genügten ihm nicht mehr. Und es wäre töricht zu leugnen, daß der Roman in ganz anderem Maße als die Ballade den Bewußtseinsstand unserer Epoche widerzuspiegeln vermag. In dieser Hinsicht freilich kann und will überhaupt ein lyrisches Gebilde — welcher Art immer — mit dem Roman nicht wetteifern. Wo der Roman Welt — auch innere Welt — ausbreitet, muß sich das Kurzgebilde lyrischen Charakters mit dem Ausdruck punktueller Welterfahrung begnügen. Gewiß werden die besonderen Möglichkeiten des Lyrischen und Epischen (wie des Dramatischen) bei reiner Gattungsverwirklichung auch am reinsten wahrgenommen. Doch gibt es legitime künstlerische Ausdrucksmöglichkeiten im Zwischenfeld. Fragwürdig ist jener Ansatz Käte Hamburgers, wonach ein „epischer Stoff" nur für eine epische Großform tauge, so daß der Ballade nichts anderes übrig bleibe, als diesen epischen Stoff zu einem „planen Geschehen" einzuebnen. Nicht preisgegeben werden sollte der Satz Hegels, daß „auch die Lyrik zu ihrem Gegenstande und zu ihrer Form eine dem Gehalt und der äußeren Erscheinung nach epische *Begebenheit* nehmen und insofern an das Epische heranstreifen" kann (wie z. B. in Romanze und Ballade)[129]. Man kann sich weder die Vorgänge der „Legende vom toten Soldaten", des „Kinderkreuzzugs" oder der Laotse-Ballade in anderer (lyrischer, epischer, dramatischer) Gestalt angemessener behandelt denken, noch wird man diesen Balladen die „ungeschiedene Bewußtseinshaltung altertümlicher Volkstümlichkeit" zusprechen wollen. Tatsächlich scheint sich die Kritik Käte Hamburgers nur auf die konventionelle Form zu richten, da man im Exkurs zur Ballade zwar Agnes Miegel und Börries von Münchhausen zitiert, nicht aber Brecht erwähnt findet.

Sicherlich hat den Lyriker Brecht der objektivierende Charakter der Ballade angezogen: die Möglichkeit, eine punktuelle Welterfahrung in einem Geschehen zu versinnlichen, zu veranschaulichen. Das kann nicht unabhängig von der Gegenstandsbezogenheit seiner Schreibweise gesehen werden. Die Gegenwendung Brechts gegen den Expressionismus bekundet sich auch darin, daß er einen Grundsatz expressionistischer (und symbolistischer) Kunst, die Loslösung dichterischer Bildlichkeit von den der gegenständlichen Welt abgewonnenen Erfahrungsmustern, wieder fallen läßt. In solcher Gegenwendung hat die Rückkehr zur Ballade mit ihrer erzählbaren, gegenständlichen Fabel einen natürlichen Spielraum. Das erzählbare, glaubhaft geknüpfte Geschehen bleibt ein Grundbegriff auch seiner Dramaturgie. Im § 12 des „Kleinen Organons für das Theater" heißt es: „die Fabel ist nach Aristoteles – und wir denken da gleich – die Seele des Dramas"[130].

Damit rückt nun endgültig das Wechselverhältnis von Ballade und Drama (bzw. Theater) Brechts ins Blickfeld. Hannah Arendt[131] hat den Balladendichter dem Stückeschreiber Brecht vorgeordnet und sieht sogar sein soziales Engagement als das Ergebnis seiner Hinwendung zur Ballade: „Nicht als Brecht anfing, sich mit dem Marxismus zu beschäftigen, sondern als er begann, die Balladenform zu benutzen und zu Ehren zu bringen, – da hat er als Dichter die Partei der Unterdrückten ergriffen." Dem wird man zustimmen nur mit der Einschränkung, daß ein Interesse für die bänkelsängerische (bzw. Villonsche) Ballade und für die sozial Benachteiligten einander begegnen, ohne in einem Ursache-Folge-Verhältnis zu stehen. Überzeugender ist der Hinweis auf

Zusammenhänge zwischen der Ballade und dem epischen Theater Brechts: in beiden Formen werden menschliche Verhaltensweisen „am Maßstab der Ereignisse selbst gemessen." Zwillingsgeschwister sind Ballade und Episches Theater vor allem als zwei Dichtungsformen, in denen die Gattungsgesetzlichkeiten aufeinanderstoßen. Wie an der Ballade alle „drei Grundarten der Poesie" (Goethe) teilhaben, so treffen sich in Brechts Dramen- und Theaterform dramatische mit den epischen und — denkt man an einige Lieder in den Stücken — lyrischen Elementen, und das nicht im Sinne einer „ungeschiedenen Bewußtseinshaltung" (K. Hamburger), sondern gerade der wechselseitigen Reibung der Elemente, die den Ausdruck einer „modernen Bewußtseinshaltung" erst ermöglicht. Und etwas für die Geschichte der Ballade Einmaliges ereignet sich bei Brecht: ihre unmittelbare Berührung mit der Geschichte des Dramas. Die Ballade wird zu einer Keimform des Dramas. Wie in vielerlei Hinsicht ist auch hierin Georg Büchner ein Vorläufer Brechts. Schon im „Woyzeck" verbirgt sich als Kern etwas wie eine moritatenhafte Volksballade. In Brechts Stücken drängen geheime Strukturzüge auch zur Manifestation: die in die Handlung verstreuten Songs sind Kristallisationspunkte des Balladesken. Geradezu wie eine dramatisierte Ballade mutet der „Kaukasische Kreidekreis" an, wo das Bühnenspiel den Bericht eines Sängers, der auch als Erzähler einer Ballade gedacht werden könnte, ins Szenische umsetzt. So erweist sich die Behauptung, daß die Ballade geschichtlich überholt sei, als ein Mißverständnis, denn nirgendwo zuvor hat sie so viele Impulse für neue dichterische Formen vermittelt wie im Werke Brechts.

ANMERKUNGEN

[1] „Dießmal schick ich Ihnen, damit Sie doch ja auch recht nordisch empfangen werden, ein paar Balladen ..." Weimarer Ausgabe, IV. Abt., Bd. 12, S. 200.

[2] Max Kommerell, Gedanken über Gedichte, 2. Aufl., Frankfurt/M. 1956, S. 366.

[3] Weimarer Ausgabe, IV. Abt., Bd. 12, S. 199.

[4] Zitiert nach Walter Müller-Seidel, Die deutsche Ballade. Umrisse ihrer Geschichte. In: Wege zum Gedicht, hrsg. v. Hirschenauer/Weber, Bd. II: Interpretation von Balladen, Neuaufl., München 1964, S. 17—83; hier S. 17.

[5] Börries Frhr. v. Münchhausen, Meisterballaden. Neuausgabe, Stuttgart 1958, S. 167.

[6] Die dt. Ballade ..., a.a.O., S. 18.

[7] Schiller, Säkularausgabe, Bd. 16, S. 227 u. 228.

[8] Vgl. C. Busse, Über die neue Ballade. In: Über Zeit und Dichtung (= Die Zeitbücher, Bd. 16), 1918.

[9] Meisterballaden, S. 8. — Vgl. aber neuerdings Joachim Müllers Trennungsversuch: Romanze und Ballade. In: GRM, N.F., Bd. IX (1959), S. 140—156.

[10] Wolfgang Kayser, Geschichte der deutschen Ballade, Berlin 1936; Deutsche Balladen. Ausgewählt von W. Kayser, Berlin 1937.

[11] Benno von Wiese, Friedrich Schiller, 3. Aufl., Stuttgart 1963, S. 619.

[12] B. v. Münchhausen, Autophilologie. In: Gedicht und Gedanke, hrsg. v. O. Burger, Halle (Saale) 1942, S. 380—390; hier S. 383 u. 387.

[13] Hans Benzmann, Die soziale Ballade in Deutschland. Typen, Stilarten und Geschichte ..., München 1912; Paul Ludwig Kämpchen, Von den Typen der deutschen Ballade. In: Der Deutschunterricht 8 (1956), Heft 4, S. 5—13.

[14] Vgl. die Übersicht und Zusammenfassung bei H. Rosenfeld, Legende (= Sammlung Metzler), 2. Aufl., Stuttgart 1964.

[15] Gedanken über Gedichte, S. 327.

[16] Albrecht Schöne, Bürgers „Lenore". In: DVj. 28 (1954), S. 324—344; hier S. 340.

[17] Hans Fromm, Das Heldenzeitlied des deutschen Hochmittelalters. In: Neuphil. Mitt. 62 (1961); Heldenlied und Volksballade. In: Wege zum Gedicht, II, S. 101—114.

[18] Der Briefwechsel zwischen Schiller und Goethe, hrsg. v. P. Stapf (= Tempel-Klassiker), Berlin 1960, S. 311.

[19] Gedichte von Ludwig Uhland, vollst. krit. Ausg., hrsg. v. Schmidt/ Hartmann, Bd. 1, Stuttgart 1898, S. 279.

[20] Meisterballaden, S. 146.

[21] Säkularausgabe, Bd. 16, S. 231.

[22] Bürgers Gedichte in 2 Teilen, hrsg. v. E. Consentius, Berlin (1914), I, S. 169 f.

[23] Vgl. W. Kayser, Gesch. d. dt. Ballade, S. 122.

[24] Goethes Werke, Hamburg. Ausg., Bd. 1, 7. Aufl. (1964), S. 268 ff.

[25] Goethe. Gedenkausgabe, Bd. 1, Zürich 1950, S. 741.

[26] Vgl. meinen Aufsatz in: Euphorion, Bd. 56 (1962).

[27] Hamburg. Ausg., Bd. 1, S. 273 ff.

[28] Eliza M. Butler, Pandits and Pariahs. In: German Studies, presented to L. A. Willoughby, Oxford 1952, S. 26—51.

[29] Gedanken über Gedichte, S. 367.

[29]a Briefwechsel, S. 308.

[29]b Hamburg. Ausg., Bd. 1, S. 361 ff.

[30] Säkularausgabe, Bd. 1, S. 117 f.

[31] B. v. Wiese, Friedrich Schiller, S. 619—622.

[32] Säkularausgabe, Bd. 1, S. 97.

[33] Vgl. meinen Aufsatz „Epigonendichtung und Nationalidee". In: ZtfdtPh., Bd. 85 (1966), S. 267—284.

[34] Gedichte von Ludwig Uhland, I, S. 308.

[35] Als Ballade wird „Das verschleierte Bild zu Sais" bereits behandelt in: Wege zum Gedicht, Bd. II. Vgl. die Interpretation von H. Hager.

[36] Säkularausgabe, Bd. 1, S. 210.

[37] Clemens Brentanos Gesammelte Schriften, hrsg. v. Christian Brentano, Frankfurt/M. 1852 ff., Bd. II, S. 99 ff. — Ich habe den Text der Ausgabe von 1852 der Fassung des „Godwi" (1801—02) vorgezogen. Vgl. dazu Emil Staiger, Die Zeit als Einbildungskraft des Dichters, 3. Aufl., Zürich 1963 (Auf dem Rhein, S. 23—106), S. 28.

[38] Ges. Schriften, II, S. 395.

[39] Ges. Schriften, II, S. 416 ff.

[40] Rudolf Haller, Eichendorffs Balladenwerk, Bern 1962, S. 25—28.

[41] Helmuth Plessner, Die verspätete Nation, 3. Aufl., Stuttgart 1962.

[42] Beide Gedichte hat W. Müller-Seidel jetzt aufgenommen in die Balladenanthologie der Reihe „Klassische Deutsche Dichtung", 22 Bde.; Bd. 19, Freiburg 1967.

[43] Mörikes Werke, hrsg. v. Harry Maync, 3 Bde., Leipzig (1909); I, S. 46 f.

[44] Werke, I, S. 24 ff.

[45] Werke, I, S. 62 ff.

[46] Heinrich Heines Sämtliche Werke in zehn Bänden, hrsg. v. Oskar Walzel; I, S. 36.

[47] S. W., II, S. 108 f.

[48] Vgl. R. v. Liliencron, Deutsches Leben im Volkslied, Nr. 36.

[49] S. W., II, S. 97.

149

[50] S. W., III, S. 23.

[51] S. W., III, S. 24 f.

[52] S. W., III, S. 217 ff.

[53] S. W., III, S. 336. Vgl. auch W. Müller-Seidels Interpretation. In: Wege zum Gedicht, II, S. 62 f.

[54] Ernst Feise, Typen Heinischer Ballade. In: Monatshefte 34 (1942), S. 153–156.

[55] S. W., III, S. 41.

[56] S. W., III, S. 50 ff.

[57] Frank Wedekind, Gesammelte Werke, 8 Bde., hrsg. v. Artur Kutscher, München/Leipzig 1919, Bd. 8, S. 149.

[58] Meisterballaden, S. 65 f.

[59] Daß Heine den Legendenbegriff selbst einmal ironisch verwendet, als Untertitel für eine neue Version des Tannhäuserliedes, liegt auf einem anderen Felde. Das dreiteilige Gedicht mündet in eine Literatur- und Zeitsatire und nimmt hier schon den Stil der satirischen Versdichtungen „Atta Troll" und „Deutschland. Ein Wintermärchen" vorweg.

[60] Annette von Droste-Hülshoff, Sämtliche Werke, hrsg. v. Clemens Heselhaus, München (1952), S. 367 ff.

[61] S. W., S. 965. Ich folge hier den Hinweisen von Kunisch (s. Anm. 63).

[62] S. W., S. 846.

[63] Vgl. Hermann Kunischs Interpretation. In: Wege zum Gedicht, II, S. 309–345.

[61] S. W., S. 370 ff.

[65] S. W., S. 384 ff.

[66] S. W., S. 390 ff.

[67] S. W., S. 1078 (Erläuterungen).

[68] S. W., S. 403 ff.

[69] Benno von Wiese, Die Balladen der Annette v. Droste. In: Jahrbuch der Droste-Gesellschaft, Bd. I (1947), S. 26–50; hier S. 31.

[70] S. W., S. 83 f.

[71] W. Kayser reiht es in seiner Anthologie (Deutsche Balladen, 1937) bei der „Unterart" der Geisterballade ein; man darf es aber ebensowohl zur naturmagischen Ballade rücken.

[72] Wege zum Gedicht, II, S. 344.

[73] S. W., S. 407 ff.

[74] S. W., S. 415 ff.

[75] S. W., S. 1057 (Nachwort). Vgl. auch die Faksimileausgabe und die Studie von Heselhaus in: Schriften der Droste-Gesellschaft, 10, Münster 1957.

[76] Ernst Kohler, Die Balladendichtung im Berliner „Tunnel über der Spree", Berlin 1940, S. 9.

[77] Nach Kohler, S. 43.

[78] Zitiert nach: DLE, Reihe Formkunst, Bd. 1, Leipzig 1933, S. 315 f.

[79] Emanuel Geibels Gesammelte Werke, 8 Bde., 2. Aufl., Stuttgart 1888; IV, S. 245.

[80] Theodor Fontane, Sämtliche Werke, Bd. XX, hrsg. v. E. Groß u. K. Schreinert, München 1962, S. 120 ff.

[81] Bertolt Brecht, Gedichte, 10 Bde., Frankfurt/M. 1960 ff.; IV, S. 52.

[82] Theodor Fontane, Sämtliche Werke, Bd. XVI, hrsg. v. E. Groß, München 1962, S. 69.

[83] S. W., I, S. 638.

[84] Vgl. Kohler, S. 342.

[85] Vgl. Fritz Martinis Interpretation der Ballade. In: Wege zum Gedicht, II, S. 377–392; hier S. 391.

[86] Gedanken über Gedichte, S. 357.

[87] Conrad Ferdinand Meyer, Sämtliche Werke. Hist.-krit. Ausg. v. H. Zeller u. A. Zäch, Bd. 1, Bern 1963, S. 265 f.

[88] Die deutsche Ballade ..., a.a.O., S. 72.

[89] Zur Ästhetik meiner Balladen. Bausteine zu einer Ästhetik der deutschen Ballade. In: Deutsche Monatsschrift f. d. gesamte Leben d. Gegenwart, Bd. 11 (1906/07), S. 97–109, 242–253 u. 332–344; hier S. 97, 98, 246 f. u. 247.

[90] H.-W. Döring, Interpretation des „Hunnenzugs". In: Wege zum Gedicht, II, S. 477–483; hier S. 477 f.

[91] Hans Fromm, Über Geschichte und Wesen der deutschen Ballade. Nachwort zu seiner Anthologie „Deutsche Balladen", 3. Aufl., München 1961; hier S. 440.

[92] Über Geschichte ..., a.a.O., S. 441.

[93] Lulu von Strauß und Torney, Der Gottesgnadenschacht. Zitiert nach der Anthologie von H. Fromm, S. 333.

[94] Zur Ästhetik meiner Balladen, a.a.O., S. 248.

[95] Agnes Miegel, Balladen und Lieder, Jena 1919 (6.–8. Tausend), S. 28.

[96] Vgl. Erwin Sternitzke, Der stilisierte Bänkelsang, Würzburg 1933.

[97] Arno Holz, Werke, hrsg. v. W. Emrich u. Anita Holz, Bd. VI, S. 39.

[98] Karl Riha, Moritat. Song. Bänkelsang. Zur Geschichte der modernen Ballade, Göttingen 1965, S. 23 f. – Vgl. außerdem Friedrich Degener, Formtypen der deutschen Ballade im 20. Jahrhundert, Diss. phil. (Masch.), Göttingen 1960.

[99] Vgl. Wolfgang Victor Ruttkowski, Das literarische Chanson in Deutschland (= Sammlung Dalp, Bd. 99), Bern 1966.

[100] Frank Wedekind, Ges. Werke, Bd. 1, S. 107 f.

[101] In: Christian Morgenstern, Egon und Emilie. Neuausgabe der Grotesken und Parodien, München 1951, S. 94.

[102] Georg Heym, Dichtungen und Schriften. Gesamtausgabe, hrsg. v. K. L. Schneider, Bd. 1, S. 86.

[103] Gertrud Kolmar, Das lyrische Werk, Heidelberg 1955, S. 233.

[104] Bertolt Brecht, Gedichte, II, S. 8.

[105] Gedichte, II, S. 9 ff.

[106] Klaus Schuhmann, Der Lyriker Bertolt Brecht 1913–1933 (= Neue Beiträge zur Literaturwissenschaft, Bd. 20), Berlin 1964, S. 28.

[107] Gedichte, I, S. 87 ff.

[108] Gedichte, I, S. 85 f.

[109] Bertolt Brechts Hauspostille. Neudruck, Frankfurt/M. o. J., S. 108.

[110] Gedichte, II, S. 51 f.

[111] Gedichte, II, S. 236.

[112] Gedichte, II, S. 238.

[113] Gedichte, I, S. 131.

[114] Es stammt aus dem Gesangbuch der Böhmischen Brüder von 1531. Vgl. Peter Michelsen, Nachtrag zum Aufsatz „Bertolt Brechts Atheismus". In: Eckart, April/Juni 1957, S. 188.

[115] Bertolt Brecht, Stücke, 14 Bde., Frankfurt/M. 1953 ff.; VII, S. 119.

[116] Nach Mitteilung von Werner Hecht. In: Bertolt Brecht, Leben und Werk (= Schriftsteller der Gegenwart, Heft 10), Berlin 1963, S. 8.

[117] Gedichte, I, S. 140.

[118] Gedichte, VI, S. 20 ff.

[119] Gedichte, II, S. 46 ff.

[120] K. Schuhmann, S. 61.

[121] Gedichte, I, S. 18 ff.

[122] Vgl. K. Schuhmann, S. 112.

[123] Franz Freiherrn Gaudy's poetische und prosaische Werke. Neue Ausgabe, Bd. 1, Berlin 1853, S. 83 ff.

[124] Bertolt Brecht, Über experimentelles Theater. In: Schriften zum Theater, Bd. III, Frankfurt/M. 1963; Zitat S. 100.

[125] Gedichte, IV, S. 51 ff. – Vgl. dazu die Interpretation von Bernhard Schulz. In: Wirkendes Wort 7 (1956/57), Heft 2, S. 81–86.

[126] Gedichte, IV, S. 143 f.

[127] Moderne Balladen. Ausgewählt und eingeleitet von Fritz Pratz (= Fischer Bücherei, Bd. 850), Frankfurt/M. 1967.

[128] Käte Hamburger, Die Logik der Dichtung, Stuttgart 1957; Zitate S. 218.

[129] Hegel, Ästhetik, 2 Bde., hrsg. v. Friedrich Bassenge, 2. Aufl., Frankfurt/M. o. J.; Bd. II, S. 474.

[130] Schriften zum Theater, Bd. VII, Frankfurt/M. 1964, S. 15.

[131] Hannah Arendt, Der Dichter Bertold Brecht. In: Neue Rundschau, 61. Jg. (1950), S. 53–67; Zitate S. 67 u. 61.

INHALT

KLEINE VANDENHOECK-REIHE

Einfacher Band 2,80 DM; Doppelbd. 3,80 DM; Dreifacher Bd. 4,80 DM; Sonderbd. 7,80 DM

WALTER HINCK

Die Dramaturgie des späten Brecht

(Palaestra 229). 4., durchgesehene Auflage 1966. 174 Seiten, brosch. 18,— DM

„... Genau dieses Zentralproblem (die Grundauseinandersetzung zwischen aristote-
lischem und nicht-aristotelischem Theater) steht im Mittelpunkt der Untersuchung
Walter Hincks ... Hinck exemplifiziert seine Studie an vier der bedeutendsten Dramen
Brechts aus der Zeit der Emigration: an der Courage, dem Puntila, dem Kaukasischen
Kreidekreis und dem Parabelstück vom guten Menschen von Sezuan. Dankenswerter-
weise stellt er die Probleme des Theaters mit in Rechnung. Das ist insofern dem Gegenstand seiner Untersuchung besonders gemäß, als Brecht ein dramatisches Werk seiner Er-
findung erst dann als vollendet und in sich abgeschlossen ansah, wenn es auf der Bühne
in einer modellhaft abgeschlossenen Inszenierung die endgültige Gestalt angenommen
hatte ... Hinck untersucht vor allem, im Dienste welcher Dramaturgie die angestrebten
Verfremdungen bei Brecht stehen sollten. In sehr interessanten Untersuchungen über
Brechts offene Dramaturgie geht es ihm dabei immer wieder um die neu herzustellende
Beziehung zwischen der Schaubühne und ihrem Publikum, um das also, was Brecht gelegentlich die ‚neue Zuschaukunst' genannt hat."

Hans Mayer / Deutsche Literaturzeitung

VANDENHOECK & RUPRECHT IN GÖTTINGEN UND ZÜRICH